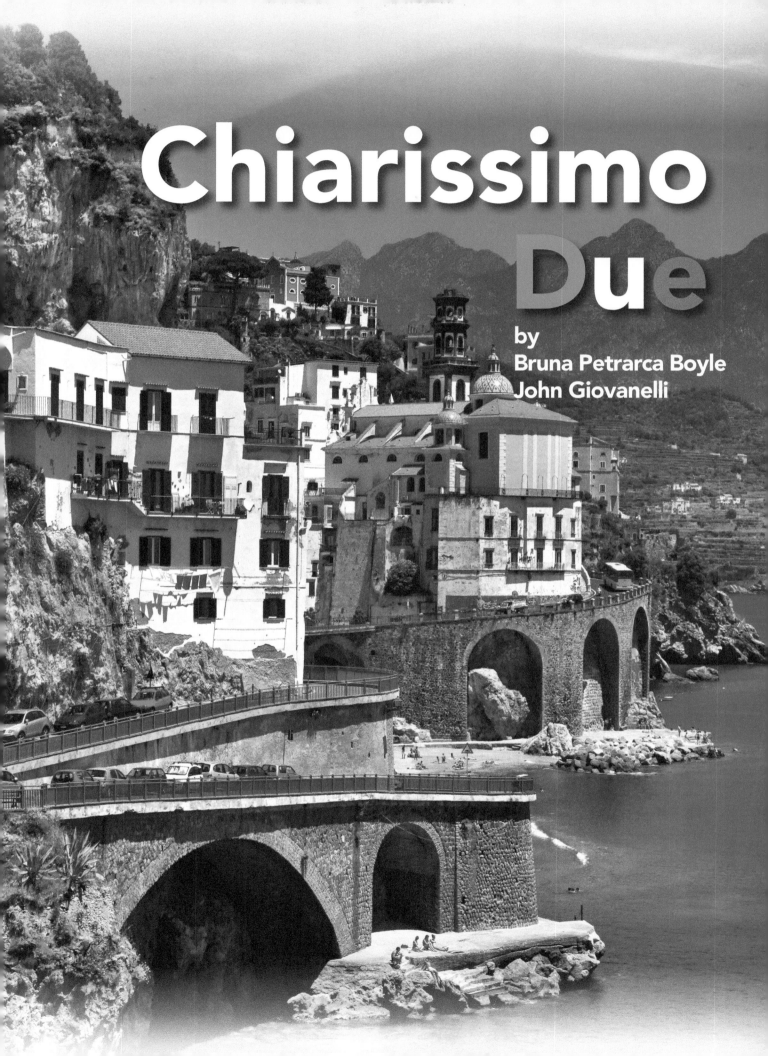

Chiarissimo
Due

by
Bruna Petrarca Boyle
John Giovanelli

Printed in the USA

4 5 6 7 8 9 10 KP 18

Print date: 1002

Softcover ISBN 978-1-942400-25-7

Hardcover ISBN 978-1-942400-23-3

FlexText® ISBN 978-1-942400-26-4

BENTORNATI IN ITALIA!

Preface

Welcome to the first edition of *Chiarissimo Due!* A clear, simple, and proficiency-based textbook designed for Novice Low, Novice Mid and/or Novice High to Intermediate Low learners enrolled in the second year of the Italian language and culture.

Chiarissimo Due continues to strengthen student performance in the Presentational, Interpretive, and Interpersonal Modes of communication introduced in *Chiarissimo Uno*. Its purpose is to further strengthen student proficiency in the Italian language and culture by providing them with ample opportunities to enhance their productive and receptive abilities. The clear and organized instructional material builds students' confidence, enthusiasm, and passion which encourages them to continue to pursue their study of the Italian language and culture.

Like *Chiarissimo Uno*, *Chiarissimo Due* presents authentic and current content in an engaging fashion. It also offers students more practice and preparation for the AATI National Italian Contest Examination, the AP® Italian Language and Culture Course/Exam, and the SAT II in Italian.

Acknowledgments

The authors and publisher would like to express their sincere appreciation to all those who participated in the development of the first edition of *Chiarissimo Due*. A special thanks to Rosario Tramontana, Italian teacher at West Warwick High School in Rhode Island for his input, suggestions, editing and for piloting *Chiarissimo Due* for several years. The authors extend a special thank you to Anna Rein, Matilde Cannavò, and Rosalie Giovanelli for their careful and thoughtful editing and to their present and former students who have made them the teachers they are today.

We would like to express our sincere gratitude to Gregory Greuel for publishing *Chiarissimo Due*, another unique novice Italian textbook. Its distinctiveness, like *Chiarissimo Uno*, is due to the devotion, dedication, and artistic team at Wayside Publishing which includes Derrick Alderman, Rachel Ross, and Eliz Tchakarian; as well as Rivka Levin and her team at Bookwonders.

Greg, thank you for continuing to believe in us and for making *Chiarissimo Due* the second Italian textbook at Wayside Publishing.

In addition, the authors would like to acknowledge the following people for their input, support, and suggestions:

- our families here and in Italy
- Rhode Island Teachers of Italian
- Massimo Ferranti, Rome, Italy
- Maria Mansella, Community College of Rhode Island, RI
- Patrizia Dewey, University of Rhode Island, RI
- Michelangelo LaLuna, University of Rhode Island
- Lucrezia Lindia, Eastchester High School, NY
- Ida Wilder, Greece Athena High School, NY
- Alyssa Nota, University Studies of Torino, Italy

Features of *Chiarissimo Due*

Chiarissimo Due consists of 10 Siti. It begins with a Preliminary Lesson (Sito Preliminare) which gives the student a general review of the material presented in *Chiarissimo Uno*. To enhance student performance in the Presentational, Interpretive, and Interpersonal modes, Siti 1 through 8 introduce the learner to differentiated instruction and the remaining Italian regions. It is student-centered with clear written and spoken communicative activities that are culturally and linguistically authentic. The last sito, Sito 9, is structured to review and assess overall student performance in all of the previous siti.

The structure of each Sito in *Chiarissimo Due* includes:

- an Italian region
- an Italian proverb
- introductory discussion
- student-friendly grammar explanations
- integrated grammar and vocabulary
- an abundance of exercises/activities on listening, reading, writing, speaking, and culture
- formative/summative assessments
- online Explorer with an audio component

la Basilicata

Objectives for *Chiarissimo Due*

At the completion of *Chiarissimo Due,* students will . . .

- express themselves in Italian with the correct pronunciation and intonation.
- exchange information, opinions, and ideas, formally and informally, using a variety of time frames.
- demonstrate an understanding of a range of vocabulary, including idiomatic and cultural expressions.
- demonstrate an understanding of Italian cultural concepts including proverbs, history, geography, art, famous people, music, literature, and cuisine.
- ask and answer both simple and complex questions using phrases or sentences in a variety of time frames.
- write formally and informally about their opinions and ideas in a variety of time frames.
- demonstrate an understanding of content from written and print resources in Italian.
- demonstrate comprehension of content from audio, visual, and audiovisual resources.
- create a variety of writings in the Italian language.
- demonstrate their knowledge using a variety of topics.
- be prepared to compete on the Level II, AATI National Italian High School Contest Examination.
- continue to strengthen their foundation and familiarization with the AP® Italian Exam.

Chiarissimo Due meets the specifications of the Level II AATI National Italian High School Contest Examination listed below.

1. **Adjectives**	Regular and irregular comparatives and superlatives; shortened forms (*grande, santo, buono*); contracted forms that depend on definite articles (*bello*); and the partitive construction (*di + definite article*)
2. **Omission of definite & indefinite articles**	• Parlo italiano. • Io sono americano. • Parlo bene l'italiano. • Che bella giornata! • Scrive sempre in italiano.
3. **Negative and affirmative words**	sempre/mai; tutto/niente; nessuno/qualcuno; etc.
4. **Pronouns**	Use and position; indirect, possessive, direct, demonstrative, reflexive, reciprocal, and disjunctive
5. **Verb tenses and moods**	Future, conditional, imperfect vs. present perfect, imperative, progressives
6. **Verb + preposition + infinitive**	(In)cominciare a, imparare a, insegnare a, finire di, suggerire di, decidere di, pensare di, entrare in, stare per
7. **Adverbs**	Regular formation, comparative/superlative forms (regular and irregular), ci
8. **Exclamations**	*Come! Che bello! Davvero! Peccato! Ma dai! Forza!* etc.
9. **Vocabulary**	reflexive verbs, furnishings and appliances, house chores, hobbies, professions
10. **Culture**	Geography, history, art, music, food, literature, general questions

il Molise

le Marche

la Valle d'Aosta

la Sardegna

Mappa politica d'Italia

Valle d'Aosta

Aosta *

Trentino-Alto Adige

Torino *

* Milano

Trento
*

Friuli-Venezia Giulia

Piemonte

Lombardia

Veneto

* Trieste

Liguria — Genova

*Venezia

Bologna *

Emilia-Romagna

Firenze *

Toscana

Marche

*Ancona

*
Perugia

Umbria

L'Aquila

Lazio

* L'Aquila

Abruzzo

Sardegna

Roma ★

Molise

Campobasso
*

Puglia

Napoli*

* Bari

* Cagliari

Campania

*
Potenza

Basilicata

Calabria

*Palermo

* Catanzaro

Sicilia

Mappa fisica d'Italia

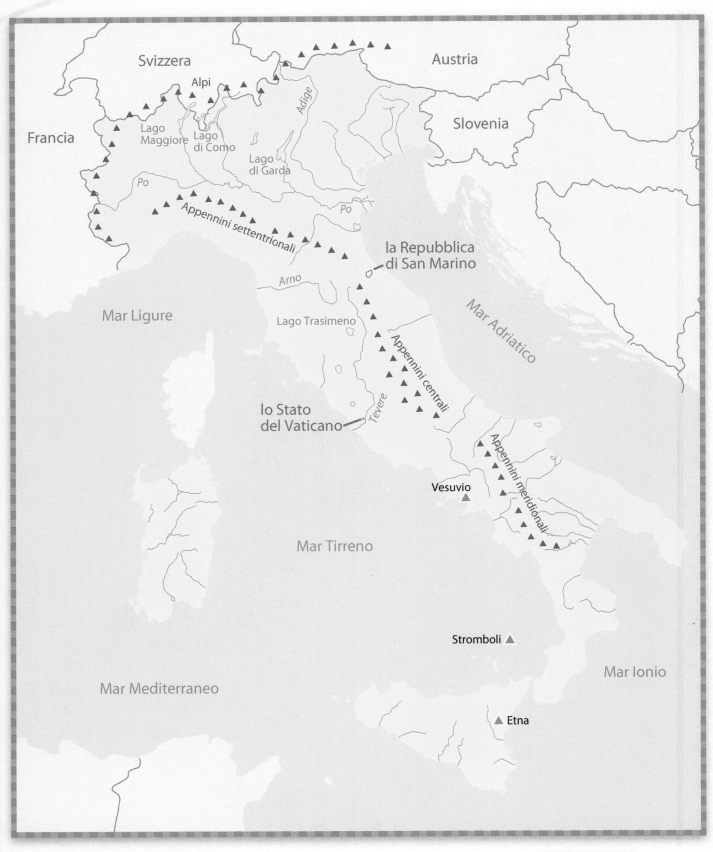

la Repubblica di San Marino

lo Stato del Vaticano

Svizzera

Austria

Slovenia

Francia

Alpi

Lago Maggiore

Lago di Como

Lago di Garda

Adige

Po

Po

Appennini settentrionali

Arno

Lago Trasimeno

Tevere

Appennini centrali

Mar Adriatico

Mar Ligure

Appennini meridionali

Vesuvio

Mar Tirreno

Stromboli

Etna

Mar Mediterraneo

Mar Ionio

▲ montagna

▲ vulcano

Chiarissimo Due

Prima di continuare a studiare l'italiano è importante fare un ripasso generale. Allora ripassiamo . . .

Ricordate queste informazioni?	SÌ	NO
1. greetings and expressions of courtesy		
2. alphabet and sounds		
3. numbers up to a billion		
4. weather expressions		
5. interrogatives		
6. c'è, ci sono, ecco		
7. gender and number of nouns		
8. indefinite articles (*a, an, one*)		
9. "I like" and "you like"		
10. subject pronouns (*I, you, he, she, you, we, you, they*)		
11. idiomatic expressions with the verbs "avere" and "fare"		
12. adjectives and agreements		
13. dates		
14. definite articles (*the*)		
15. time of day		
16. irregular nouns in the singular and plural		
17. present tense of -are; -ere; -ire regular verbs		
18. present tense of verbs that end in -ciare; -giare; -care; -gare		
19. present tense of the following irregular verbs: *to be*　　　*to do; make*　*to go out*　　*to know (a fact; how)*　*to stay; be* *to be able; can*　*to give*　　*to have*　　　*to know (people; places)*　*to want* *to come*　　*to go*　　　*to have to; must*　*to say; tell*		
20. formation of negative sentences		
21. possessive adjectives		
22. possessive adjectives with family members		
23. demonstrative adjectives "this" and "these"		
24. demonstrative adjectives "that" and "those"		
25. direct object pronouns		
26. exclamations		
27. prepositions/prepositional contractions		
28. past tense of regular and irregular verbs with "avere"		
29. past tense of regular and irregular verbs with "essere"		
30. ordinal numbers		
31. difference between the 2 verbs "to know" (*conoscere* and *sapere*)		
32. Vocabulary: days of the week, months of the year, seasons, clothes, rooms of a house, body parts, animals and insects, food and drinks, classroom objects, family, and sports		

Sito Preliminare

Bentornati In Italia!

Objectives:

- Review vocabulary topics including idiomatic and culturally authentic expressions from *Chiarissimo Uno*.
- Read and comprehend written sources in Italian.
- Engage in communicative activities.
- Demonstrate comprehension of authentic audio resources.
- Review grammatical concepts from *Chiarissimo Uno*.
- Reflect and produce a variety of creative writings.

Per chiacchierare:

- In which vocabulary topics/themes are you most proficient and least proficient?
- In which grammar points are you most proficient and least proficient?
- What cultural aspects did you find most interesting in *Chiarissimo Uno* and why?

Discuss the proverb:

Nulla si fa senza volontà!

Without a strong will, nothing is accomplished!

 **WARM-UP ACTIVITY 1**
Espressioni

ESERCIZIO 1a

Leggere attentamente le domande e rispondere con frasi complete. Poi, con un compagno/una compagna, fare e rispondere alle domande.

(Read the questions carefully and answer them with complete sentences. Then, with a classmate, ask and answer the questions.) **(5 minuti)**

1. Come si dice «**you are welcome**» in italiano?

2. Come si scrive «**grazie**» in italiano?

3. Cosa vuol dire «**piacere**»?

4. Che significa «**altrettanto**» in inglese?

5. Che significa «**arrivederci**» in inglese?

 **WARM-UP ACTIVITY 1**
Espressioni

ESERCIZIO 1b

Lavorare insieme ad un compagno/una compagna. Leggere e commentare le 5 frasi usando le espressioni contenute nella tavola. Ognuno legge e commenta ogni frase.

(Work together with a classmate. Read and comment on the 5 sentences using the expressions in the chart. Each person reads and comments on each statement.) **(5 minuti)**

Sono d'accordo perché . . . *I agree because . . .*	Non sono d'accordo perché . . . *I disagree because . . .*
È vero perché . . . *It's true because . . .*	Non è vero perché . . . *It's not true because . . .*
Hai ragione perché . . . *You are right because . . .*	Ti sbagli perché . . . *You are wrong because . . .*

1. «**You are welcome**» in italiano si dice «**prego**».

2. «**Ciao**» si scrive «**C - I - A - O**» in italiano.

3. «**Piacere**» vuol dire «**Thank you**».

4. «**Altrettanto**» significa «**Same to you**» in inglese.

5. «**Arrivederci**» in inglese significa «**goodbye**».

🎧 ESERCIZIO II

Ascoltare attentamente ogni frase due volte. Poi, dalle quattro immagini, scegliere quella che corrisponde alla frase orale.

(Listen carefully to each statement repeated twice. Then, from the four pictures, choose the one that corresponds to the spoken statement.) **(10 minuti)**

Rimini, Emilia-Romagna

ESERCIZIO III

Leggere la breve biografia di Laura Pausini e poi, rispondere alle 3 domande.

(Read the brief biography of Laura Pausini and then, answer the 3 questions.)
(10 minuti)

Laura Pausini

Una breve biografia di Laura Pausini

Laura Pausini è una famosa cantante italiana apprezzata anche in altre parti del mondo. È nata il 16 maggio 1974 a Faenza, una città dell'Emilia-Romagna in Italia. Canta in spagnolo, portoghese, inglese, francese e, naturalmente in italiano. Molte delle sue canzoni parlano di problemi adolescenziali e i critici musicali le hanno spesso considerate malinconiche per i temi di cui parlano. La sua voce, potente e calda, è stata paragonata a quella di interpreti femminili di rilievo nel mondo della canzone, come Celine Dion, Mariah Carey e Barbra Streisand.

1. Dov'è nata Laura Pausini?
   A. nell'Italia settentrionale   C. nell'Italia centrale
   B. nell'Italia meridionale   D. nell'Italia insulare

2. Com'è la voce di Laura Pausini?
   A. gentile   C. arrogante
   B. forte   D. maschile

3. In quante lingue canta Laura Pausini?
   A. cinque   C. tre
   B. due   D. quattro

Laura Pausini in Piazza del Duomo a Milano

ESERCIZIO IV

Accoppiare la Colonna A con la Colonna B.
(Match Column A with Column B.) **(5 minuti)**

Colonna A	Colonna B
1. _____ Ci sono . . . giorni in una settimana.	A. stagioni
2. _____ Mi metto . . . quando fa freddo.	B. in salotto
3. _____ Marzo ha . . . giorni.	C. febbraio
4. _____ Ci sono quattro . . . in un anno.	D. ho fame
5. _____ Non ci sono lezioni	E. sette
6. _____ Ci sono . . . ore in un giorno.	F. in un anno
7. _____ Nevica molto in	G. una giacca
8. _____ Ci sono dodici mesi	H. il sabato e la domenica
9. _____ Prendo un panino quando	I. ventiquattro
10. _____ Guardiamo la tivù	J. trentun

ESERCIZIO V

Scrivere una mail a uno studente/una studentessa che abita in Italia. Scrivere il tuo nome, la tua età, il tuo numero di telefono, dove abiti, dove e quando sei nato/nata (data, anno), come sei (3 aggettivi), cosa studi e quali lingue capisci.

(Write an e-mail to a student who lives in Italy. Write your name, your age, your telephone number, where you live, where and when you were born (date, year), what you are like (3 adjectives), what do you study, and which language(s) you understand.)

la Nascita di Venere

Sandro Botticelli

2° SECONDO GIORNO

Espressioni

ESERCIZIO Ia

Leggere attentamente le domande e rispondere con frasi complete. Poi, con un compagno/una compagna, fare e rispondere alle domande.

(Read the questions carefully and answer them with complete sentences. Then, with a classmate, ask and answer the questions.) **(5 minuti)**

1. Come si dice «**good morning**» in italiano?

2. Come si scrive «**prego**» in italiano?

3. Cosa vuol dire «**salve**»?

4. Che significa «**buonanotte**» in inglese?

5. Che significa «**pronto**» in inglese?

Espressioni

ESERCIZIO Ib

Lavorare insieme ad un compagno/una compagna. Leggere e commentare le 5 frasi usando le espressioni contenute nella tavola. Ognuno legge e commenta ogni frase.

(Work together with a classmate. Read and comment on the 5 sentences using the expressions in the chart. Each person reads and comments on each statement.) **(5 minuti)**

Sono d'accordo perché . . . *I agree because . . .*	Non sono d'accordo perché . . . *I disagree because . . .*
È vero perché . . . *It's true because . . .*	**Non è vero perché . . .** *It's not true because . . .*
Hai ragione perché . . . *You are right because . . .*	**Ti sbagli perché . . .** *You are wrong because . . .*

1. «**Good morning**» in italiano si dice «**buonasera**».

2. «**Prego**» si scrive «**P - R - E - G - O**» in italiano.

3. «**Salve**» vuol dire «**Good-bye**».

4. «**Buonanotte**» significa «**Good evening**» in inglese.

5. «**Pronto**» in inglese significa «**hello**».

ESERCIZIO II

Ascoltare attentamente ogni frase due volte. Poi, dalle quattro immagini, scegliere quella che corrisponde alla frase orale.

(Listen carefully to each statement repeated twice. Then, from the four pictures, choose the one that corresponds to the spoken statement.) ***(10 minuti)***

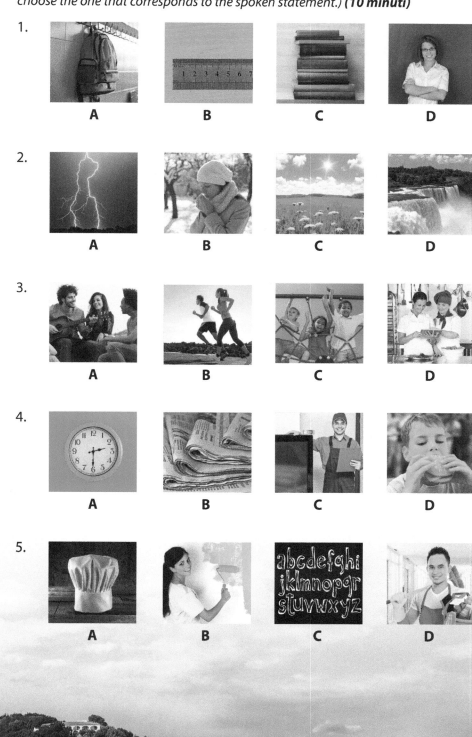

la Sardegna

ESERCIZIO III

Leggere il seguente brano sul vulcano Etna e poi, rispondere alle 3 domande.

(Read the following passage on the volcano Etna and then, answer the 3 questions.)
(10 minuti)

L'Etna

Il vulcano Etna

L'Etna è un vulcano attivo che si trova in Sicilia vicino alla città di Catania. È il vulcano più alto d'Europa con circa 3.000 metri di altezza, il doppio di quella del Vesuvio, il vulcano della città di Napoli. Un altro nome dell'Etna è Mongibello o *Muncibeddu*, in dialetto siciliano. Questo nome composto dalla parola latina *mons* e dall'arabo *giabal*, significa semplicemente «montagna». L'Etna è sempre attivo e cambia continuamente la topografia della Sicilia. Arrivano turisti da tutto il mondo per osservare le attività e le esplosioni del vulcano. Purtroppo, qualche volta, la curiosità e il desiderio di osservare lo spettacolo troppo da vicino si trasformano in avventure molto pericolose o incidenti fatali. Hai voglia di visitare l'Etna adesso?

1. Com'è il vulcano Etna?

   A. basso   C. diligente

   B. potente   D. tranquillo

2. Il nome di questo vulcano deriva dalla parola . . . .

   A. montagna   C. vulcano

   B. metro   D. europa

3. Secondo il brano, non è una buona idea visitare l'Etna da vicino perché . . . .

   A. le esplosioni sono pericolose   C. la topografia cambia

   B. ci sono molti turisti   D. è molto alto

Taormina, Sicilia

ESERCIZIO IV

Accoppiare la Colonna A con la Colonna B.
(Match Column A with Column B.) **(5 minuti)**

Colonna A	Colonna B
1. _____ perdere	A. to put; place
2. _____ trovare	B. to look for; search; seek
3. _____ leggere	C. to kiss
4. _____ andare	D. to leave; depart
5. _____ cercare	E. to find
6. _____ partire	F. to go
7. _____ abitare	G. to lose
8. _____ offrire	H. to live
9. _____ mettere	I. to read
10. _____ baciare	J. to offer

Colonna A	Colonna B
1. _____ nuotare	A. to understand
2. _____ vedere	B. to ask (for)
3. _____ rispondere	C. to swim
4. _____ capire	D. to work
5. _____ scegliere	E. to mail; send
6. _____ ridere	F. to select; choose
7. _____ chiedere	G. to love
8. _____ lavorare	H. to see
9. _____ spedire	I. to laugh
10. _____ amare	J. to answer; reply; respond

ESERCIZIO V

Scrivere un paragrafo in italiano di almeno 5 frasi su questa famiglia.
(Write a paragraph in Italian of at least 5 sentences about this family.)

 WARM-UP ACTIVITY 3
Domande generali

ESERCIZIO Ia

Leggere attentamente le domande e rispondere con frasi complete. Poi, con un compagno/una compagna, fare e rispondere alle domande.

(Read the questions carefully and answer them with complete sentences. Then, with a classmate, ask and answer the questions.) **(5 minuti)**

1. Come ti chiami?
2. Dove abiti?
3. Come stai?
4. Di dove sei?
5. Dove sei nato/nata?

 WARM-UP ACTIVITY 3
Domande generali

ESERCIZIO Ib

Lavorare insieme ad un compagno/una compagna. Leggere e commentare le 5 frasi usando le espressioni contenute nella tavola. Ognuno legge e commenta ogni frase.

(Work together with a classmate. Read and comment on the 5 sentences using the expressions in the chart. Each person reads and comments on each statement.) **(5 minuti)**

Sono d'accordo perché . . .	Non sono d'accordo perché . . .
I agree because . . .	*I disagree because . . .*
È vero perché . . .	**Non è vero perché . . .**
It's true because . . .	*It's not true because . . .*
Hai ragione perché . . .	**Ti sbagli perché . . .**
You are right because . . .	*You are wrong because . . .*

1. Ti chiami Francesco/Francesca.
2. Abiti a Roma.
3. Stai molto bene oggi.
4. Sei di New York.
5. Sei nato/nata negli Stati Uniti.

ESERCIZIO II

Ascoltare attentamente ogni frase due volte. Poi, dalle quattro immagini, scegliere quella che corrisponde alla frase orale.

(Listen carefully to each statement repeated twice. Then, from the four pictures, choose the one that corresponds to the spoken statement.) **(10 minuti)**

1.

    A   **B**   **C**   **D**

2.

    A   **B**   **C**   **D**

3.

    A   **B**   **C**   **D**

4.

    A   **B**   **C**   **D**

5.

    A   **B**   **C**   **D**

gli Appennini

ESERCIZIO III

Leggere il seguente brano e poi, rispondere alle 4 domande.
(Read the following passage and then, answer the 4 questions.) **(10 minuti)**

Una tennista

Caterina non è molto atletica, ma c'è uno sport, il tennis, che gioca spesso. Gioca tutto l'anno due o tre volte alla settimana anche se è un po' difficile con il suo lavoro. Durante l'estate, gioca ogni giorno perché, per fortuna, non lavora. Una volta alla settimana gioca in un posto stupendo. Una sua amica abita vicino al mare e il suo campo di tennis si trova a pochissima distanza dall'oceano. È un luogo molto tranquillo! L'acqua è serena e ci sono molti uccelli che volano e cantano armoniosamente. Molte volte è difficile per Caterina pensare allo sport perché il magnifico panorama distrae la sua attenzione.

1. Caterina gioca a tennis molto durante . . . .
    A. la primavera   C. la settimana
    B. la domenica   D. l'estate

2. Caterina è una persona che gioca a tennis . . . .
    A. chiaramente   C. raramente
    B. regolarmente   D. tristemente

3. Il posto dove gioca Caterina con la sua amica è . . . .
    A. noioso   C. calmo
    B. sporco   D. pericoloso

4. Qualche volta Caterina non gioca troppo bene perché . . . .
    A. ha molto tempo libero   C. è distratta
    B. è stanca   D. le piace molto

un mercato all'aperto a Ravenna in Emilia-Romagna

ESERCIZIO IV

Abbinare le frasi incomplete nella Colonna A con i soggetti logici nella Colonna B.

(Match the incomplete sentences in Column A with the logical subjects in Column B.) **(5 minuti)**

Colonna A	Colonna B
1. _____ è una carne.	A. L'aranciata
2. _____ è una frutta rossa e verde.	B. Il prosciutto con il melone
3. _____ è una verdura arancione.	C. L'osso buco
4. _____ è un dolce.	D. L'aragosta
5. _____ è una bevanda fredda.	E. L'anguria
6. _____ è una bevanda calda.	F. La torta
7. _____ è una verdura verde.	G. L'espresso
8. _____ è una verdura bianca.	H. La carota
9. _____ è un pesce.	I. La lattuga
10. _____ è un antipasto.	J. Il cavolfiore

ESERCIZIO V

Scrivere un paragrafo in italiano di almeno 6 frasi su quest' immagine.

(Write a paragraph in Italian of at least 6 sentences about this picture.)

Genova, Liguria

QUARTO GIORNO

WARM-UP ACTIVITY 4
Domande generali

ESERCIZIO Ia

Leggere attentamente le domande e rispondere con frasi complete. Poi, con un compagno/una compagna, fare e rispondere alle domande.
(Read the questions carefully and answer them with complete sentences. Then, with a classmate, ask and answer the questions.) ***(5 minuti)***

1. Signore/Signorina, come si chiama Lei?

2. Signore/Signorina, dove abita Lei?

3. Signore/Signorina, come sta Lei?

4. Signore/Signorina, di dov'è Lei?

5. Signore/Signorina, dov'è nato/nata Lei?

WARM-UP ACTIVITY 4
Domande generali

ESERCIZIO Ib

Lavorare insieme ad un compagno/una compagna. Leggere e commentare le 5 frasi usando le espressioni contenute nella tavola. Ognuno legge e commenta ogni frase.
(Work together with a classmate. Read and comment on the 5 sentences using the expressions in the chart. Each person reads and comments on each statement.)
(5 minuti)

Sono d'accordo perché... *I agree because...*	Non sono d'accordo perché... *I disagree because...*
È vero perché... *It's true because...*	**Non è vero perché...** *It's not true because...*
Hai ragione perché... *You are right because...*	**Ti sbagli perché...** *You are wrong because...*

1. Lei si chiama Signor Bianchi/Signorina Gilli.

2. Lei abita a Chicago.

3. Lei sta benissimo.

4. Lei è di Roma.

5. Lei è nato/nata in Italia.

ESERCIZIO II

Ascoltare attentamente ogni frase due volte. Poi, dalle quattro immagini, scegliere quella che corrisponde alla frase orale.

(Listen carefully to each statement repeated twice. Then, from the four pictures, choose the one that corresponds to the spoken statement.) **(10 minuti)**

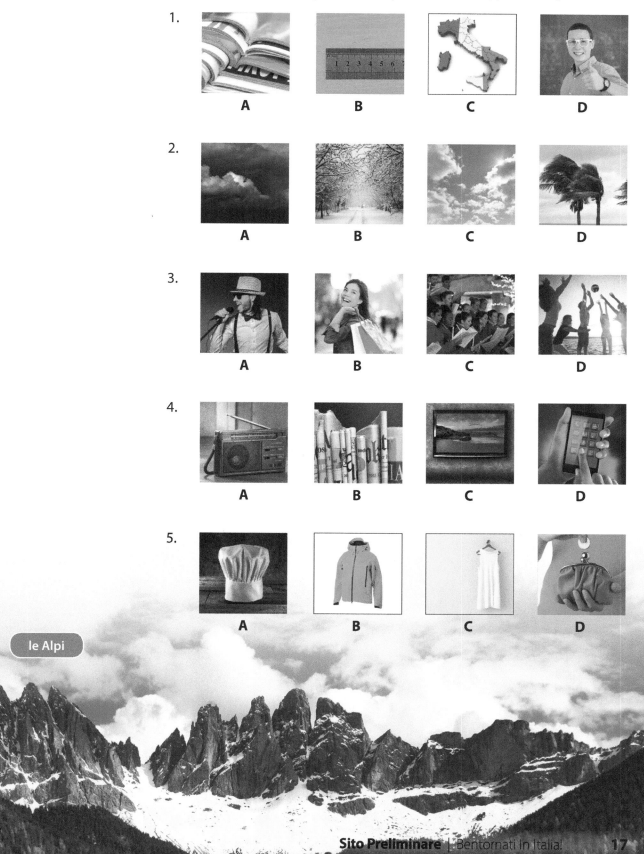

1.

    A   B   C   D

2.

    A   B   C   D

3.

    A   B   C   D

4.

    A   B   C   D

5.

    A   B   C   D

le Alpi

ESERCIZIO III

Leggere e scegliere le risposte corrette per completare il dialogo.

(Read and select the correct responses to complete the dialogue.) **(10 minuti)**

Una conversazione fra una madre e un figlio

Mamma: Giulio, **(1)** . . . le dieci. È ora di andare a **(2)** . . . .

Giulio: Mamma, devo leggere un altro capitolo. Ho un esame molto **(3)** . . . domani e come tu sai, **(4)** . . . ricevere un bel voto.

Mamma: **(5)** . . . pagine devi leggere ancora? A che ora finisci?

Giulio: Ho bisogno **(6)** . . . venti o venticinque minuti. Poi vado a **(7)** . . . .

Mamma: Va bene, Giulio. Finisci **(8)** . . . lavoro e poi subito a letto!

1. A. è	B. siamo	C. sei	D. sono
2. A. letto	B. scuola	C. teatro	D. piedi
3. A. forte	B. triste	C. giovane	D. importante
4. A. do	B. vengo	C. voglio	D. sto
5. A. Quante	B. Dove	C. Chi	D. Come
6. A. per	B. da	C. con	D. di
7. A. mangiare	B. scrivere	C. dormire	D. pulire
8. A. il loro	B. il mio	C. il suo	D. il tuo

ESERCIZIO IVa

Completare le frasi della Colonna A con l'articolo determinativo corretto nella Colonna B.

(Complete the sentences in Column A with the correct definite article in Column B.) **(5 minuti)**

il Lago Maggiore

Colonna A

1. _____ Arno è un fiume.
2. _____ Alpi sono montagne nell'Italia settentrionale.
3. _____ Appennini sono una catena di montagne.
4. _____ Stato del Vaticano si trova geograficamente a Roma.
5. _____ Repubblica di San Marino è nelle Marche.
6. _____ laghi più grandi sono il Garda, il Como e il Maggiore.
7. _____ lago più grande d'Italia è il Garda.

Colonna B

A. Il
B. L'
C. Lo
D. La
E. Le
F. I
G. Gli

ESERCIZIO IVb

Scegliere l'articolo indeterminativo corretto per ogni sostantivo.

(Select the correct indefinite article for each noun.) **(5 minuti)**

1. «Il Trasimeno» è (**un, uno, una, un'**) lago in Umbria.

2. L'Italia ha la forma di (**un, uno, una, un'**) stivale.

3. «*Tosca*» è (**un, uno, una, un'**) opera di Puccini.

4. La Sardegna è (**un, uno, una, un'**) regione nel Mediterraneo.

5. Il Vesuvio è (**un, uno, una, un'**) vulcano in Campania.

6. Il Tevere è (**un, uno, una, un'**) fiume.

7. La Sicilia è una regione e anche (**un, uno, una, un'**) isola.

8. L'Italia è (**un, uno, una, un'**) penisola.

9. Il Vaticano è (**un, uno, una, un'**) stato indipendente.

il Vesuvio

 ESERCIZIO V

Scrivere un paragrafo in italiano di almeno 6 frasi su quest'immagine.

(Write a paragraph in Italian of at least 6 sentences about this picture.)

il Lago di Garda

QUINTO GIORNO

Domande generali

ESERCIZIO Ia

Leggere attentamente le domande e rispondere con frasi complete. Poi, con un compagno/una compagna, fare e rispondere alle domande.

(Read the questions carefully and answer them with complete sentences. Then, with a classmate, ask and answer the questions.) **(5 minuti)**

1. Quanti anni hai?

2. Come sei?

3. Che ora è?/Che ore sono?

4. Che tempo fa oggi?

5. Qual è la data di oggi?

Domande generali

ESERCIZIO Ib

Lavorare insieme ad un compagno/una compagna. Leggere e commentare le 5 frasi usando le espressioni contenute nella tavola. Ognuno legge e commenta ogni frase.

(Work together with a classmate. Read and comment on the 5 sentences using the expressions in the chart. Each person reads and comments on each statement.)
(5 minuti)

Sono d'accordo perché . . . *I agree because . . .*	Non sono d'accordo perché . . . *I disagree because . . .*
È vero perché . . . *It's true because . . .*	**Non è vero perché . . .** *It's not true because . . .*
Hai ragione perché . . . *You are right because . . .*	**Ti sbagli perché . . .** *You are wrong because . . .*

1. Hai quindici anni.

2. Sei generoso/generosa e simpatico/simpatica.

3. È mezzogiorno.

4. Tira vento oggi.

5. Oggi è il primo dicembre.

ESERCIZIO II

Ascoltare attentamente ogni domanda due volte. Poi, scegliere la risposta corretta.

(Listen carefully to each question repeated twice. Then, select the correct response.)
(10 minuti)

1. A. Sono basso/bassa e giovane.
   B. Ho venti anni.
   C. Mi piace giocare a calcio.

2. A. Ho due fratelli.
   B. Studio l'italiano.
   C. Mia sorella si chiama Elena.

3. A. Abito a New York.
   B. Sono nato/nata negli Stati Uniti.
   C. Mi chiamo Enrico.

4. A. Sono anziani.
   B. Sono castani.
   C. Sono azzurri.

5. A. Ho i capelli biondi.
   B. Ho ventidue anni.
   C. Ho molta fame.

6. A. Abito a New York.
   B. Sono degli Stati Uniti.
   C. Ho due fratelli a Roma.

7. A. Studio l'italiano.
   B. Sono alto/alta.
   C. Mi piace il golf.

8. A. Non ho fratelli.
   B. I miei fratelli si chiamano Paolo e Enzo.
   C. Mio fratello si chiama Roberto.

9. A. È biondo.
   B. È Carlo.
   C. È uno studente.

10. A. Abito in Toscana.
    B. Mi chiamo Giuseppe.
    C. Mi piacciono le fragole.

11. A. quindici
    B. ventotto
    C. trentadue

12. A. la bistecca
    B. i fagiolini
    C. il risotto

Roberto Benigni

ESERCIZIO III

Leggere attentamente il brano sulla moda e poi, rispondere alle 3 domande.

(Read the passage on fashion carefully and then, answer the 3 questions.)
(10 minuti)

La capitale della moda italiana

Milano è la capitale italiana della moda. Durante tutto l'anno gli stilisti come Gucci, Armani, Prada, Versace, Valentino, Dolce & Gabbana, Pucci e Fendi organizzano le sfilate (*fashion shows*) per presentare le nuove collezioni di moda femminile e maschile. Ogni anno durante *La Settimana della Moda di Milano* gli stilisti presentano le loro collezioni primavera-estate per l'anno successivo. A giugno vengono presentate le collezioni maschili, *La Milano Moda Uomo*, e a settembre le collezioni femminili, *La Milano Moda Donna*. Durante questi eventi, stilisti più noti mostrano al pubblico le loro creazioni come bellissimi pezzi d'arte in un museo. Il calendario della moda milanese è sempre fitto di incontri eleganti.

1. Quando si presentano le nuove collezioni maschili di moda?

    A. ad aprile   C. a settembre

    B. a gennaio   D. a giugno

2. Cosa c'è a Milano ogni anno?

    A. Ci sono molte sfilate.   C. Ci sono molti musei.

    B. Ci sono molti calendari.   D. Ci sono molte settimane.

3. Com'è la moda durante *La Settimana della Moda*?

    A. modesta   C. artistica

    B. industriale   D. debole

ESERCIZIO IVa

Scegliere la forma corretta dell'aggettivo o l'aggettivo corretto in ogni frase.

(Select the correct form of the adjective or the correct adjective in each sentence.)
(5 minuti)

1. I genitori di Paolo sono (**elderly**).
    A. anziano   B. anziana   C. anziani   D. anziane

2. Secondo Giulia, il football è uno sport (**dangerous**).
    A. pericoloso   B. pericolosa   C. pericolosi   D. pericolose

3. I suoi capelli sono castani e (**long**).
    A. lungo   B. lunga   C. lunghi   D. lunghe

4. Mi piacciono le mie professoresse perché non sono mai (**angry**).
    A. arrabbiato   B. arrabbiata   C. arrabbiati   D. arrabbiate

5. Un atleta è una persona molto (**athletic**).

A. sportivo   B. sportiva   C. sportivi   D. sportive

6. La macchina dei miei nonni è di una marca . . . .

A. giapponese   B. italiane   C. americane   D. tedesche

7. La bandiera americana è bianca, blu e . . . .

A. gialla   B. rossa   C. grigia   D. rosa

ESERCIZIO IVb

Completare le frasi nella Colonna A con le conclusioni nella Colonna B.

(Complete the sentences in Column A with the conclusions in Column B.) **(5 minuti)**

Colonna A

1. Le nostre gambe sono _____.
2. Il suo naso è _____.
3. I miei occhi sono _____.
4. I tuoi capelli sono _____.
5. La mano ha cinque _____.
6. Una parte della gamba è _____.
7. Mi fa male _____.
8. La mia bocca ha _____.
9. Sentiamo con _____.
10. Emma ha una faccia _____.

Colonna B

A. una lingua e i denti
B. gli orecchi/ le orecchie
C. azzurri
D. sorridente
E. lo stomaco
F. ricci
G. carino
H. il ginocchio
I. dita
J. lunghe

ESERCIZIO V

Scrivere un paragrafo in italiano di almeno 7 frasi su quest'immagine.

(Write a paragraph in Italian of at least 7 sentences about this picture.)

SESTO GIORNO

WARM-UP ACTIVITY 6
Presente indicativo
Verbi della prima/seconda/terza coniugazione (-are; -ere; -ire)

ESERCIZIO Ia

Leggere attentamente le domande e rispondere con frasi complete. Poi, con un compagno/una compagna, fare e rispondere alle domande.

(Read the questions carefully and answer them with complete sentences. Then, with a classmate, ask and answer the questions.) **(5 minuti)**

1. Quante lingue parli?

2. Lavori? Dove?

3. Che cosa metti nel tuo zaino?

4. Preferisci vincere o perdere?

5. A che ora arriva il tuo autobus ogni mattina?

WARM-UP ACTIVITY 6
Presente indicativo
Verbi della prima/seconda/terza coniugazione (-are; -ere; -ire)

ESERCIZIO Ib

Lavorare insieme ad un compagno/una compagna. Leggere e commentare le 5 frasi usando le espressioni contenute nella tavola. Ognuno legge e commenta ogni frase.

(Work together with a classmate. Read and comment on the 5 sentences using the expressions in the chart. Each person reads and comments on each statement.)
(5 minuti)

Sono d'accordo perché . . .	Non sono d'accordo perché . . .
I agree because . . .	*I disagree because . . .*
È vero perché . . .	**Non è vero perché . . .**
It's true because . . .	*It's not true because . . .*
Hai ragione perché . . .	**Ti sbagli perché . . .**
You are right because . . .	*You are wrong because . . .*

1. Parli due lingue.

2. Lavori in un ristorante.

3. Metti dei libri, dei quaderni, delle matite e delle penne nel tuo zaino.

4. Preferisci perdere.

5. Il tuo autobus arriva alle cinque ogni mattina.

**Ascoltare attentamente ogni domanda due volte.
Poi, scegliere la risposta corretta.**

(Listen carefully to each question repeated twice. Then, select the correct response.)
(10 minuti)

1. A. mio cugino   C. mio nipote
   B. mia cugina   D. mia nipote

2. A. mio padre   C. mio figlio
   B. mia madre   D. mia figlia

3. A. gennaio   C. il giovedì
   B. domenica   D. la primavera

4. A. Hai mal di denti.   C. Hai quindici anni.
   B. Hai ragione.   D. Hai torto.

5. A. È mezzogiorno.   C. Sono degli Stati Uniti.
   B. Faccio una passeggiata.   D. Frequento il liceo.

6. A. Ha tre anni.   C. Non c'è male.
   B. Sono di Roma.   D. Si chiama Giorgio.

7. A. in un quaderno   C. in una porta
   B. in una finestra   D. in uno zaino

8. A. Ho mal di stomaco.   C. Ho molti cugini.
   B. Ho due riviste.   D. Ho una forchetta.

9. A. È studiosa.   C. È emozionata.
   B. È pigra.   D. È seria.

10. A. Fa brutto.   C. Non piove.
    B. Fa caldo.   D. Non c'è il sole.

una partita di calcio

ESERCIZIO III

Leggere e scegliere le risposte corrette per completare il brano.

(Read and select the correct responses to complete the passage.) **(10 minuti)**

Un nuovo anno scolastico

Oggi è il **(1)** ... giorno di scuola e sono molto contenta perché **(2)** ... anno frequento una scuola nuova. **(3)** ... stesso tempo, sono anche un po' nervosa perché due **(4)** ... mie amiche, Anna e Giulia, hanno deciso di **(5)** ... una scuola privata. Meno male che le mie altre amiche Marisa e Gianna rimangono con me!

In agosto io, Marisa e Gianna **(6)** ... alla scuola nuova per ambientarci. Oggi, secondo noi, non sarà molto difficile perché già conosciamo alcuni professori e **(7)** ... dove si trovano tutte le nostre aule. Siamo fortunate!

1. A. ultimo	B. ventesimo	C. primo	D. cinquantesimo
2. A. questa	B. queste	C. questi	D. quest'
3. A. Al	B. Allo	C. All'	D. Ai
4. A. della	B. dei	C. delle	D. degli
5. A. arrivare	B. vendere	C. frequentare	D. mettere
6. A. sei andata	B. siamo andate	C. è andata	D. sono andate
7. A. sappiamo	B. apriamo	C. conosciamo	D. ascoltiamo

 ESERCIZIO IV

Abbinare in modo logico i nomi della Colonna A con gli aggettivi della Colonna B.

(Match logically the nouns in Column A with the adjectives in Column B.)
(5 minuti)

Colonna A	Colonna B
1. _____ le ciliege	A. marroni
2. _____ il sole	B. grige
3. _____ le nuvole	C. nere
4. _____ l'erba	D. arancioni
5. _____ le castagne	E. rosse
6. _____ il cielo	F. verde
7. _____ le carote	G. viola
8. _____ le melanzane	H. giallo
9. _____ gli occhi	I. azzurro
10. _____ le scarpe	J. castani

ESERCIZIO V

Abbinare la Colonna A con la Colonna B.
(Match Column A with Column B.) ***(5 minuti)***

Dante Alighieri

Francesco Petrarca

Giovanni Boccaccio

Colonna A

1. _____ è lo scrittore del *Decamerone*.
2. _____ è un artista.
3. _____ è un cantante.
4. _____ è uno scienziato.
5. _____ è il poeta del *Canzoniere*.
6. _____ è un compositore d'opera.
7. _____ è il padre della lingua italiana.
8. _____ è un'attrice italiana.
9. _____ è un tenore napoletano.
10. _____ è un pittore e uno scultore.

Colonna B

A. Dante Alighieri
B. Giuseppe Verdi
C. Sofia Loren
D. Giovanni Boccaccio
E. Sandro Botticelli
F. Francesco Petrarca
G. Galileo Galilei
H. Enrico Caruso
I. Michelangelo Buonarroti
J. Andrea Bocelli

ESERCIZIO VI

Scrivere un paragrafo in italiano di almeno 7 frasi su quest'immagine.
(Write a paragraph in Italian of at least 7 sentences about this picture.)

Napoli, Campania

SETTIMO GIORNO

WARM-UP ACTIVITY 7

Presente indicativo dei verbi regolari e irregolari della prima/ seconda/terza coniugazione

ESERCIZIO Ia

Leggere attentamente le domande e rispondere con frasi complete. Poi, con un compagno/una compagna, fare e rispondere alle domande.

(Read the questions carefully and answer them with complete sentences. Then, with a classmate, ask and answer the questions.) **(5 minuti)**

1. In che stagione vai al mare?

2. Cosa fai quando hai sete?

3. Quando è il tuo compleanno?

4. Perché corre il tuo amico/la tua amica?

5. Perché devi andare al bancomat?

WARM-UP ACTIVITY 7

Presente indicativo dei verbi regolari e irregolari della prima/ seconda/terza coniugazione

ESERCIZIO Ib

Lavorare insieme ad un compagno/una compagna. Leggere e commentare le 5 frasi usando le espressioni contenute nella tavola. Ognuno legge e commenta ogni frase.

(Work together with a classmate. Read and comment on the 5 sentences using the expressions in the chart. Each person reads and comments on each statement.) **(5 minuti)**

Sono d'accordo perché . . . *I agree because . . .*	Non sono d'accordo perché . . . *I disagree because . . .*
È vero perché . . . *It's true because . . .*	**Non è vero perché . . .** *It's not true because . . .*
Hai ragione perché . . . *You are right because . . .*	**Ti sbagli perché . . .** *You are wrong because . . .*

1. Vai al mare in estate.

2. Prendi una bottiglia d'acqua frizzante quando hai sete.

3. Il tuo compleanno è il primo agosto.

4. Il tuo amico/La tua amica corre perché la sua lezione comincia fra tre minuti.

5. Devi andare al bancomat perché hai molti soldi.

ESERCIZIO II

Ascoltare attentamente ogni frase o domanda due volte. Poi, scegliere la risposta corretta.

(Listen carefully to each statement or question repeated twice. Then, select the correct response.) **(10 minuti)**

1. A. alle sette e dieci   B. a mezzanotte   C. alle undici

2. A. cento   B. dieci   C. novanta

3. A. Sì, lo servo.   B. Sì, la servo.   C. Sì, li servo.

4. A. in primavera   B. in estate   C. in autunno

5. A. a mezzogiorno   B. alle dieci   C. alle venti

6. A. faccio la valigia   B. faccio una domanda   C. faccio colazione

7. A. in garage   B. in salotto   C. in cucina

8. A. fare un viaggio   B. fare il biglietto   C. fare i compiti

9. A. Ballano quando escono.   B. Ballo quando esco.   C. Balliamo quando usciamo.

10. A. delle mele   B. dei jeans   C. degli appunti

la Calabria

📖 ESERCIZIO III

Leggere il brano e poi, rispondere alle 3 domande.

(Read the passage and then, answer the 3 questions.) (10 minuti)

Io studio l'italiano perché . . .

è una lingua musicale ed è la lingua di grandi artisti, pittori, poeti, esploratori, scrittori e scienziati. È anche la lingua della moda, del cinema, delle automobili, della cucina e dello sport.

Per me l'italiano è facile perché è una lingua romanza come lo spagnolo. Io sono nato e ancora abito in Argentina dove la lingua ufficiale è lo spagnolo, ma ci sono molte persone che parlano anche in italiano.

Studio l'italiano perché desidero visitare Roma con la mia famiglia in luglio per andare a vedere un'opera alle Terme di Caracalla, *la Pietà* nella Basilica di San Pietro, il Colosseo e il Foro Romano. Naturalmente desidero visitare Via dei Condotti per comprare i vestiti del mio stilista preferito, Valentino.

1. Di che nazionalità è questa persona?

    A. spagnolo   C. argentino

    B. italiano   D. romano

2. Questa persona studia l'italiano per . . . .

    A. capire i film italiani   C. leggere i libri italiani

    B. viaggiare in Italia   D. parlare con la sua famiglia

3. Perché l'italiano è facile per questa persona?

    A. È nato in Italia.   C. È professore d'italiano.

    B. Parla un'altra lingua.   D. Ascolta la musica italiana.

lo Stato della Città del Vaticano

ESERCIZIO IV

Abbinare in modo logico i verbi della Colonna A con i nomi della Colonna B.

(Match logically the verbs in Column A with the nouns in Column B.) (5 minuti)

Colonna A	Colonna B
1. _____ scrivere	A. la chitarra
2. _____ abbracciare	B. le gambe
3. _____ starnutire	C. il pane
4. _____ fare	D. una bugia
5. _____ correre	E. una partita
6. _____ suonare	F. il naso
7. _____ chiudere	G. un corso
8. _____ mentire	H. la mano
9. _____ seguire	I. gli occhi
10. _____ vincere	J. le braccia

ESERCIZIO V

Scrivere un paragrafo in italiano di almeno 8 frasi su quest' immagine.

(Write a paragraph in Italian of at least 8 sentences about this picture.)

il Colosseo a Roma

 8° OTTAVO GIORNO

 WARM-UP ACTIVITY 8
Passato prossimo con il verbo ausiliario *avere*

ESERCIZIO Ia

Leggere attentamente le domande e rispondere con frasi complete. Poi, con un compagno/una compagna, fare e rispondere alle domande.
(Read the questions carefully and answer them with complete sentences. Then, with a classmate, ask and answer the questions.) **(5 minuti)**

1. Dove hai comprato quegli occhiali da sole?

2. Che cosa hai imparato in classe ieri?

3. Quante volte hai starnutito oggi?

4. Hai ricevuto molti o pochi messaggini oggi?

5. A che ora hai finito i compiti ieri sera?

 WARM-UP ACTIVITY 8
Passato prossimo con il verbo ausiliario *avere*

ESERCIZIO Ib

Lavorare insieme ad un compagno/una compagna. Leggere e commentare le 5 frasi usando le espressioni contenute nella tavola. Ognuno legge e commenta ogni frase.
(Work together with a classmate. Read and comment on the 5 sentences using the expressions in the chart. Each person reads and comments on each statement.) **(5 minuti)**

Sono d'accordo perché . . .	Non sono d'accordo perché . . .
I agree because . . .	*I disagree because . . .*
È vero perché . . .	**Non è vero perché . . .**
It's true because . . .	*It's not true because . . .*
Hai ragione perché . . .	**Ti sbagli perché . . .**
You are right because . . .	*You are wrong because . . .*

1. Hai comprato quegli occhiali da sole all'aeroporto.

2. Hai imparato i verbi irregolari in classe ieri.

3. Hai starnutito molte volte oggi.

4. Hai ricevuto moltissimi messaggini oggi.

5. Hai finito i compiti a mezzanotte ieri sera.

ESERCIZIO II

Ascoltare attentamente ogni domanda due volte.
Poi, scegliere la risposta corretta.

(Listen carefully to each question repeated twice. Then, select the correct response.)
(10 minuti)

1. A. Ho bisogno di due ore.
   B. Pranzo a mezzogiorno.
   C. Studio alle due.
   D. È l'una e venticinque.

2. A. Fa molti compiti.
   B. Piove molto.
   C. È giovedì.
   D. Ho molto tempo.

3. A. Gioco a pallavolo.
   B. Scrivo un tema.
   C. Sorrido molto.
   D. Mangio un panino.

4. A. Sono nata il primo giugno.
   B. Oggi è l'otto marzo.
   C. La festa è domani sera.
   D. Il mio compleanno è divertente.

5. A. Mi piace seguire il mio cane.
   B. Le materie sono eccezionali.
   C. Seguo cinque corsi.
   D. La classe di biologia è facile.

6. A. Mi piace agosto.
   B. Il mio preferito è martedì.
   C. Preferisco la primavera.
   D. Adoro il mese di luglio.

7. A. Ascolto i miei professori.
   B. Dormo fino a tardi.
   C. Litigo molto.
   D. Do due esami.

8. A. in maggio
   B. in aprile
   C. in ottobre
   D. in gennaio

9. A. Partiamo per l'Italia.
   B. Vogliamo arrivare presto.
   C. Usciamo alle venti.
   D. Prendiamo un secondo.

10. A. studioso
    B. pericoloso
    C. geloso
    D. bravo

la Galleria Vittorio Emanuele II a Milano

ESERCIZIO III

Leggere e scegliere le risposte corrette per completare il brano.

(Read and select the correct responses to complete the passage.) **(10 minuti)**

La Pasquetta

In Italia il giorno **(1)** . . . la Pasqua, cioè lunedì, si chiama la Pasquetta. I ragazzi non **(2)** . . . lezioni e gli adulti non lavorano. Gli italiani passano il giorno con i parenti, gli amici e i vicini. **(3)** . . . dei picnic e mangiano tutti insieme. È un giorno di **(4)** . . . per tutti. Ogni città festeggia questo giorno in modo particolare. Per **(5)** . . ., in Sicilia la gente fa un picnic che include molta **(6)** . . . di manzo e maiale. A Monte San Quirico, un paese in Toscana, le persone mangiano la frittata con ricotta **(7)** . . ., uva secca, uova e con altri ingredienti. A Siena, **(8)** . . . città in Toscana, le persone vanno in Piazza del Campo, comprano il cibo e le bevande che **(9)** . . . desiderano mangiare e bere e poi guardano il «*rotolamento del formaggio*», un gioco molto interessante. Il vincitore di questo gioco riceve un formaggio *Pecorino* che pesa **(10)** . . . chili.

la Piazza del Campo a Siena, Toscana

La colomba pasquale è il dolce tipico di Pasqua. È servita in tutta l'Italia alla fine del pranzo.

1. A. con	B. dopo	C. vicino	D. dietro
2. A. danno	B. stanno	C. devono	D. hanno
3. A. Capiscono	B. Organizzano	C. Vengono	D. Cucinano
4. A. riposo	B. lavoro	C. studio	D. compito
5. A. errore	B. ora	C. esempio	D. caso
6. A. pesce	B. carne	C. frutta	D. polenta
7. A. alta	B. bionda	C. fresca	D. viola
8. A. una	B. un	C. uno	D. un'
9. A. lei	B. tu	C. loro	D. noi
10. A. nuovi	B. noni	C. niente	D. nove

Perugia, Umbria

 ESERCIZIO IV

Abbinare in modo logico le parti del corpo nella Colonna A con l'abbigliamento o gli accessori nella Colonna B.

(Match logically the parts of the body in Column A with the clothing or accessories in Column B.) ***(5 minuti)***

Colonna A	Colonna B
1. _____ i piedi	A. gli occhiali
2. _____ la testa	B. la cravatta/la sciarpa
3. _____ le mani	C. i pantaloni
4. _____ il collo	D. il cappotto
5. _____ le gambe	E. le scarpe
6. _____ gli occhi	F. i guanti
7. _____ il corpo	G. il cappello

 ESERCIZIO V

Abbinare la Colonna A con la Colonna B.

(Match Column A with Column B.) ***(5 minuti)***

Colonna A	Colonna B
1. _____ è un fiume del nord.	A. Il Gran Sasso
2. _____ è un vulcano in Sicilia.	B. Capri
3. _____ è un lago settentrionale.	C. Il Vaticano
4. _____ è un museo a Firenze.	D. L'Adige
5. _____ è una montagna in Abruzzo.	E. Il Lazio
6. _____ è un monumento romano.	F. L'Etna
7. _____ sono una catena di montagne.	G. La Galleria degli Uffizi
8. _____ è un'isola turistica.	H. Le Alpi
9. _____ è una regione centrale.	I. Il Como
10. _____ è uno stato indipendente.	J. Il Colosseo

 ESERCIZIO VI

Scrivere un paragrafo in italiano di almeno 8 frasi al passato prossimo su quest' immagine.

(Write a paragraph in Italian of at least 8 sentences in the present perfect tense about this picture.)

NONO GIORNO

Passato prossimo dei verbi irregolari con il verbo ausiliario *avere*

ESERCIZIO Ia

Leggere attentamente le domande e rispondere con frasi complete. Poi, con un compagno/una compagna, fare e rispondere alle domande.

(Read the questions carefully and answer them with complete sentences. Then, with a classmate, ask and answer the questions.) **(5 minuti)**

1. Quanti libri hai letto quest'anno?

2. Chi ha pulito la tua camera da letto?

3. A chi hai chiesto un passaggio recentemente?

4. Perché hai chiuso le finestre?

5. Cosa hai preso a colazione stamattina?

Passato prossimo dei verbi irregolari con il verbo ausiliario *avere*

ESERCIZIO Ib

Lavorare insieme ad un compagno/una compagna. Leggere e commentare le 5 frasi usando le espressioni contenute nella tavola. Ognuno legge e commenta ogni frase.

(Work together with a classmate. Read and comment on the 5 sentences using the expressions in the chart. Each person reads and comments on each statement.) **(5 minuti)**

Sono d'accordo perché . . .	Non sono d'accordo perché . . .
I agree because . . .	*I disagree because . . .*
È vero perché . . .	**Non è vero perché . . .**
It's true because . . .	*It's not true because . . .*
Hai ragione perché . . .	**Ti sbagli perché . . .**
You are right because . . .	*You are wrong because . . .*

1. Hai letto tre libri quest'anno.

2. Tu hai pulito la tua camera da letto.

3. Hai chiesto un passaggio a tuo padre/a tua madre recentemente.

4. Hai chiuso le finestre perché piove.

5. Hai preso dei biscotti a colazione stamattina.

ESERCIZIO II

Ascoltare attentamente ogni frase due volte. Poi, scrivere la lettera dell'immagine che corrisponde a ciascuna frase sulla linea.

(Listen carefully to each sentence repeated twice. Then, write the letter of the picture that corresponds to each sentence on the line.) ***(10 minuti)***

A   B   C   D   E

F   G   H   I   J

1. _____ 2. _____ 3. _____ 4. _____ 5. _____

6. _____ 7. _____ 8. _____ 9. _____ 10. _____

Venezia, Veneto

ESERCIZIO III

Leggere il seguente dialogo e poi, rispondere alle 3 domande.

(Read the following dialogue and then, answer the 3 questions.) *(10 minuti)*

Un pranzo fra amici

Tommaso e Susanna pranzano in un buon ristorante vicino a scuola.

Tommaso: Susanna, cosa prendi oggi?

Susanna: Per primo prendo le farfalle e per secondo, il maiale con due contorni; le patate e i fagiolini. E tu?

Tommaso: Non ho molta fame. Prendo solo un primo, gli agnolotti, una specialità piemontese.

Susanna: Buona scelta! E da bere, che cosa prendi?

Tommaso: Io prendo l'acqua frizzante. E tu?

Susanna: Come al solito, l'aranciata San Pellegrino.

Tommaso: Con ghiaccio?

Susanna: Assolutamente no! Sono italiana e non uso mai il ghiaccio.

Tommaso: Anche'io sono italiano, ma mi piacciono le bevande molto fredde.

1. Dov'è il ristorante che frequentano Tommaso e Susanna?
    A. davanti all'università
    B. a sinistra dell'università
    C. vicino all'università
    D. tra l'università e il bar

2. Perché Tommaso non ordina un secondo?
    A. Gli piace la bistecca.
    B. Ha poca fame.
    C. Il secondo è squisito.
    D. Preferisce un contorno.

3. Che cosa prende da bere Susanna?
    A. un'aranciata
    B. l'acqua frizzante
    C. un'aranciata fredda
    D. l'acqua San Pellegrino

una Ferrari

una Maserati

ESERCIZIO IV

Abbinare logicamente i verbi nella Colonna A con i nomi nella Colonna B.

(Match logically the verbs in Column A with the nouns in Column B.) **(5 minuti)**

Colonna A	Colonna B
1. _____ costruire	A. la finestra
2. _____ cominciare	B. le chiavi
3. _____ costare	C. una canzone
4. _____ dimenticare	D. un edificio
5. _____ parcheggiare	E. le lasagne
6. _____ cantare	F. la radio
7. _____ dormire	G. la lezione
8. _____ sentire	H. l'auto
9. _____ aprire	I. dieci euro
10. _____ cucinare	J. otto ore

ESERCIZIO V

Scrivere un paragrafo in italiano di almeno 10 frasi su quest' immagine.

(Write a paragraph in Italian of at least 10 sentences about this picture.)

Torino, Piemonte

 **WARM-UP ACTIVITY 10**
Passato prossimo con i verbi ausiliari *essere/avere*

ESERCIZIO Ia

Leggere attentamente le domande e rispondere con frasi complete. Poi, con un compagno/una compagna, fare e rispondere alle domande.
(Read the questions carefully and answer them with complete sentences. Then, with a classmate, ask and answer the questions.) **(5 minuti)**

1. Perché non sei andato/sei andata in Italia quest'estate?
2. Chi ti ha comprato la macchina?
3. Dove hai messo le chiavi?
4. A che ora sei venuto/sei venuta a lezione stamattina?
5. Quando è partita tua sorella?

una Vespa

un'Alfa Romeo

WARM-UP ACTIVITY 10
Passato prossimo con i verbi ausiliari *essere/avere*

ESERCIZIO Ib

Lavorare insieme ad un compagno/una compagna. Leggere e commentare le 5 frasi usando le espressioni contenute nella tavola. Ognuno legge e commenta ogni frase.
(Work together with a classmate. Read and comment on the 5 sentences using the expressions in the chart. Each person reads and comments on each statement.)
(5 minuti)

Sono d'accordo perché . . .	Non sono d'accordo perché . . .
I agree because . . .	*I disagree because . . .*
È vero perché . . .	**Non è vero perché . . .**
It's true because . . .	*It's not true because . . .*
Hai ragione perché . . .	**Ti sbagli perché . . .**
You are right because . . .	*You are wrong because . . .*

1. Non sei andato/sei andata in Italia perché hai dovuto lavorare.
2. Tua nonna ti ha comprato la macchina.
3. Hai messo le chiavi nello zaino.
4. Sei venuto/Sei venuta a lezione a mezzogiorno.
5. Tua sorella è partita mercoledì mattina.

Ascoltare attentamente ogni frase due volte. Poi, scrivere la lettera dell'immagine che corrisponde a ciascuna frase sulla linea.

(Listen carefully to each sentence repeated twice. Then, write the letter of the picture that corresponds to each sentence on the line.) (10 minuti)

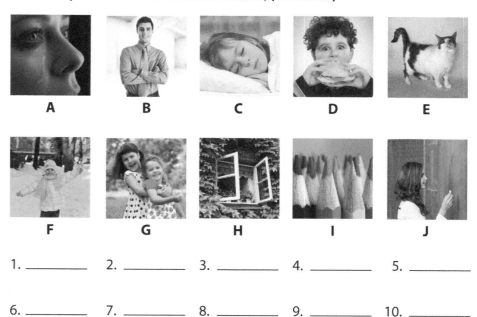

A   B   C   D   E

F   G   H   I   J

1. _____   2. _____   3. _____   4. _____   5. _____

6. _____   7. _____   8. _____   9. _____   10. _____

Un signore italiano gioca a bocce.

ESERCIZIO III

Leggere e scegliere le risposte corrette per completare il brano.

(Read and select the correct responses to complete the passage.) **(10 minuti)**

una Fiat

Una regione settentrionale

Il Piemonte è una regione molto grande e **(1)** . . . . Il suo capoluogo, Torino, è ricco di storia e possiede varie industrie. Un'industria torinese è quella **(2)** . . . automobili FIAT. La fabbrica è enorme e ogni anno gli operai **(3)** . . . molte macchine. Torino è una città conosciuta **(4)** . . . per la cioccolata, particolarmente la Nutella. Ci sono molte altre belle **(5)** . . . nel Piemonte, ma la mia preferita è Alba. Mi piace perché è piccola con una piazza molto bella dove i bambini **(6)** . . .; i giovani passeggiano con un gelato **(7)** . . .; e gli anziani conversano con calma. **(8)** . . . anche i fiori che circondano la piazza perché creano un ambiente rilassante e tranquillo.

1. A. bello	B. bella	C. belli	D. belle
2. A. dei	B. dell'	C. degli	D. delle
3. A. mangiano	B. ascoltano	C. fabbricano	D. cercano
4. A. se	B. mai	C. anche	D. quasi
5. A. fabbriche	B. trattorie	C. università	D. città
6. A. giocano	B. giochi	C. giochiamo	D. giocate
7. A. in gamba	B. in mano	C. in testa	D. in spalla
8. A. Mi piace	B. Piace	C. Piacere	D. Mi piacciono

ESERCIZIO IV

Abbinare i verbi nella Colonna A con le traduzioni nella Colonna B.

(Match the verbs in Column A with the translations in Column B.) **(5 minuti)**

Colonna A	Colonna B
1. _____ vendere	A. to look at; watch
2. _____ insegnare	B. to repeat
3. _____ piangere	C. to sell
4. _____ ritornare	D. to smile
5. _____ mangiare	E. to teach
6. _____ guardare	F. to finish
7. _____ ricevere	G. to eat
8. _____ sorridere	H. to cry
9. _____ finire	I. to return
10. _____ ripetere	J. to receive; get

Colonna A	Colonna B
1. _____ aspettare	A. to pay (for)
2. _____ comprare	B. to prefer
3. _____ frequentare	C. to learn
4. _____ prendere	D. to wait for
5. _____ pagare	E. to speak/to talk
6. _____ pulire	F. to listen (to)
7. _____ ascoltare	G. to buy
8. _____ preferire	H. to take (in)
9. _____ imparare	I. to attend
10. _____ parlare	J. to clean

 ## ESERCIZIO V

Abbinare la Colonna A con la Colonna B.
(Match Column A with Column B.) **(5 minuti)**

Alba, Piemonte

Colonna A	Colonna B
1. _____ è lo sport nazionale d'Italia.	A. L'Adriatico
2. _____ è la forma d'Italia.	B. San Pellegrino
3. _____ è la moneta ufficiale.	C. Le Dolomiti
4. _____ è la capitale d'Italia.	D. Roma
5. _____ è un mare a est.	E. Il calcio
6. _____ è un paese che confina con l'Italia.	F. La Scala
7. _____ sono montagne a nord-est.	G. Il pecorino
8. _____ è un formaggio delizioso.	H. Lo stivale
9. _____ è una bevanda popolare.	I. La Svizzera
10. _____ è un teatro d'opera.	J. L'euro

 ## ESERCIZIO VI

Scrivere un paragrafo in italiano al passato prossimo su quello che hai fatto durante quest'estate.
(Write a paragraph in Italian in the present perfect tense about what you did during this summer.)

Ripasso dei verbi irregolari al presente/Review of irregular verbs in the present tense

Scrivere il significato di ogni verbo all' infinito e poi, coniugarlo in italiano.
(Write the meaning of each verb infinitive and then, conjugate it in Italian.)

1. **dare** -	2. **stare** -	3. **andare** -
4. **essere** -	5. **fare** -	6. **dire** -
7. **uscire** -	8. **venire** -	9. **dovere** -
10. **potere** -	11. **volere** -	12. **sapere** -
13. **avere** -	14. **bere** -	

Ripasso dei numeri cardinali e ordinali/
Review of cardinal and ordinal numbers

Cantiamo in italiano i dodici giorni del mese!

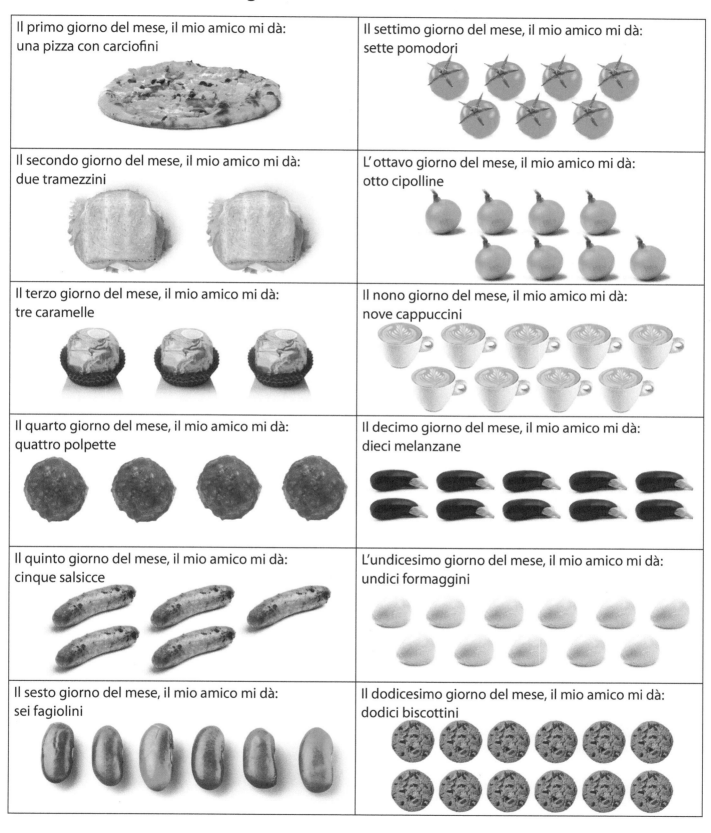

Il primo giorno del mese, il mio amico mi dà:
una pizza con carciofini

Il settimo giorno del mese, il mio amico mi dà:
sette pomodori

Il secondo giorno del mese, il mio amico mi dà:
due tramezzini

L'ottavo giorno del mese, il mio amico mi dà:
otto cipolline

Il terzo giorno del mese, il mio amico mi dà:
tre caramelle

Il nono giorno del mese, il mio amico mi dà:
nove cappuccini

Il quarto giorno del mese, il mio amico mi dà:
quattro polpette

Il decimo giorno del mese, il mio amico mi dà:
dieci melanzane

Il quinto giorno del mese, il mio amico mi dà:
cinque salsicce

L'undicesimo giorno del mese, il mio amico mi dà:
undici formaggini

Il sesto giorno del mese, il mio amico mi dà:
sei fagiolini

Il dodicesimo giorno del mese, il mio amico mi dà:
dodici biscottini

Bentornati allo studio d'italiano!

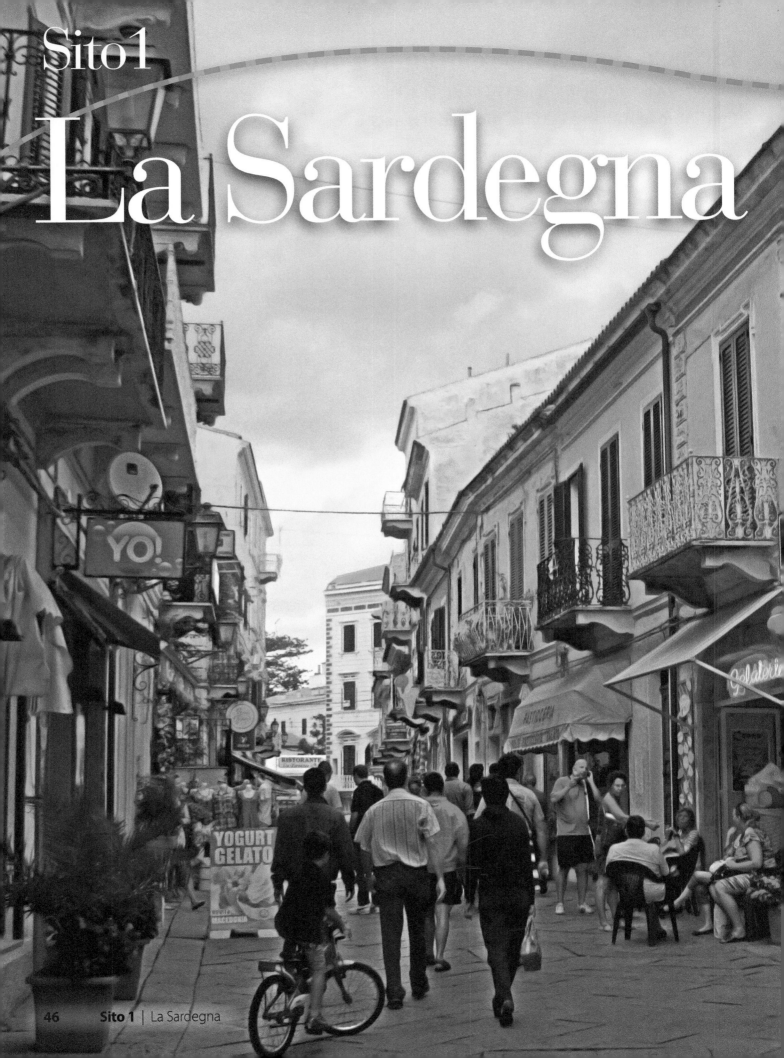

Sito 1
La Sardegna

Italia

La Sardegna

Objectives:

- Identify and conjugate reflexive verbs in the present and present perfect tenses.
- Recognize and utilize the reciprocal construction.
- Identify the rooms of a house and their contents.
- Locate and discuss characteristics of the region of Sardegna.

Per chiacchierare:

- What is unique about your daily routine?
- In your opinion, what is the most important room in a house? Why?
- Why is Sardegna different from the other Italian regions?

Discuss the proverb:

Chi si loda s'imbroda.

Self-praise is no recommendation.

Verbi riflessivi al presente/
Reflexive verbs in the present tense

⚠ ATTENZIONE!

Reflexive verbs require reflexive pronouns in **ALL** tenses.

A reflexive verb (*verbo riflessivo*) is a verb whose action refers or reflects back to the subject. The subject and the object are the same. For example:

Reflexive	**vs.**	**Non-reflexive**
I look at **myself** in the mirror.	vs.	I look at the magazines.
She wakes up (**herself**) at 7:00.	vs.	She wakes up her brother.
They call **themselves** Al and Joe.	vs.	They call Al and Joe.

In Italian, **ALL** reflexive verbs require the following reflexive pronouns:

mi - myself	**ci** - ourselves
ti - yourself (*informale*)	**vi** - yourselves (*informale e formale*)
si - himself/herself yourself (*formale*)	**si** - themselves

Examine the conjugation of the following 3 reflexive verbs in the present tense in Italian and in English:

svegliarsi	mettersi	vestirsi
io **mi sveglio**	io **mi metto**	io **mi vesto**
tu **ti svegli**	tu **ti metti**	tu **ti vesti**
lui/lei **si sveglia**	lui/lei **si mette**	lui/lei **si veste**
Lei **si sveglia**	Lei **si mette**	Lei **si veste**
noi **ci svegliamo**	noi **ci mettiamo**	noi **ci vestiamo**
voi **vi svegliate**	voi **vi mettete**	voi **vi vestite**
loro **si svegliano**	loro **si mettono**	loro **si vestono**

to wake up	to put on (clothing)	to get dressed
I wake up	*I put on*	*I get dressed*
you wake up	*you put on*	*you get dressed*
he/she wakes up	*he/she puts on*	*he/she gets dressed*
you wake up	*you put on*	*you get dressed*
we wake up	*we put on*	*we get dressed*
you wake up	*you put on*	*you get dressed*
they wake up	*they put on*	*they get dressed*

Reflexive verbs . . .

1. show that the action is performed and received by the subject. It is not a reflexive verb if the action performed by the subject affects someone or something else.

   Mia **si prepara** per il ballo.   *Mia prepares herself (gets ready) for the dance.*

   Mia **prepara** i dolci per il ballo.   *Mia prepares the desserts for the dance.*

2. end in **-arsi**; **-ersi**; **-irsi** (svegli**arsi**; mett**ersi**; vest**irsi**) and are conjugated like any other –are, -ere, or -ire verb.

3. **ALWAYS** require reflexive pronouns (**mi, ti, si, ci, vi, si**) even though in English they are implied.

   Lui **si** mette la giacca.   *He puts on his jacket.*

   Lui non **si** mette la giacca.   *He does not put on his jacket.*

4. have two grammatical structures when there are **2 verbs** in a sentence with **1 subject**. The reflexive pronoun can precede the conjugated verb or it can be attached to the infinitive after dropping the final letter **-e** from the infinitive form.

   Tu **ti** vuoi mettere gli stivali perché nevica.

   Tu vuoi metter**ti** gli stivali perché nevica.

   You want to put on your boots because it is snowing.

🔤 Here are some common reflexive verbs:

1.	addormentarsi	*to fall asleep*	14.	mettersi	*to put on (oneself)*
2.	alzarsi	*to get up*	15.	pettinarsi	*to comb one's hair*
3.	arrabbiarsi	*to get angry*	16.	prepararsi	*to get ready; to prepare (oneself)*
4.	chiamarsi	*to call oneself*	17.	riposarsi	*to relax*
5.	diplomarsi	*to graduate from high school*	18.	sentirsi	*to feel (bene, male, contento, stanco)*
6.	divertirsi	*to enjoy oneself*	19.	spazzolarsi	*to brush one's hair*
7.	farsi il bagno	*to take a bath*	20.	specializzarsi	*to major in; to specialize in*
8.	farsi la barba	*to shave*	21.	spogliarsi	*to get undressed*
9.	farsi la doccia	*to take a shower*	22.	sposarsi	*to get married*
10.	fermarsi	*to stop oneself*	23.	svegliarsi	*to wake up*
11.	innamorarsi di	*to fall in love with*	24.	truccarsi	*to put on make up*
12.	laurearsi	*to graduate from college*	25.	vestirsi	*to get dressed*
13.	lavarsi	*to wash oneself (i denti, la faccia, le mani)*			

ITALIA

ESERCIZIO A

Scrivere il pronome riflessivo corretto per ogni frase.
(Write the correct reflexive pronoun for each sentence.)

1. I figli _____ arrabbiano con i genitori.

2. _____ mettiamo i guanti quando fa freddo.

3. _____ vesti elegantemente.

4. La loro cugina _____ chiama Giuliana.

5. _____ diverto a Cagliari con gli amici.

6. _____ riposate il sabato pomeriggio.

7. Io e mia sorella _____ svegliamo molto presto durante la settimana.

8. Tu e tuo fratello _____ addormentate troppo tardi ogni sera.

9. A che ora _____ alzi la domenica?

10. _____ faccio la doccia la mattina, non la sera.

ESERCIZIO B

Scrivere 5 attività che fai ogni mattina usando i verbi riflessivi in italiano.
(Write 5 activities that you do each morning using reflexive verbs in Italian.)

1. _____

2. _____

3. _____

4. _____

5. _____

Questi studenti si laureano oggi.

ESERCIZIO C

Lavorare con un compagno/una compagna. Fare e rispondere alle seguenti domande.
(Work with a classmate. Ask and answer the following questions.)

1. Come ti chiami? _____

2. A che ora ti alzi la mattina? _____

3. In che anno ti diplomi/ti laurei? _____

4. Come ti senti adesso? _____

5. Dove ti diverti? _____

Cagliari

ESERCIZIO D

Leggere attentamente le domande e poi scegliere le risposte corrette.

(Read the questions carefully and then select the correct responses.)

1. **Che cosa ti metti quando hai freddo?**
   A. Mi metto una cravatta quando ho freddo.
   B. Mi metto una cintura quando ho freddo.
   C. Mi metto i guanti quando ho freddo.

2. **Perché Angela si mette un costume da bagno?**
   A. Va in biblioteca.
   B. Va al mare.
   C. Va a lezione.

3. **A che ora ti vesti la mattina per andare a scuola?**
   A. alle sedici
   B. a mezzanotte
   C. alle sette

4. **Perché i bambini non si sentono bene?**
   A. Hanno mal di gola.
   B. Hanno ragione.
   C. Hanno cinque anni.

5. **Dove vi spazzolate i capelli?**
   A. in cucina
   B. in sala da pranzo
   C. in bagno

ESERCIZIO E

Che cosa fa Rosalia ogni giorno? Con un compagno/una compagna, mettere in ordine le attività di Rosalia.

(What does Rosalia do every day? With a classmate, put Rosalia's activities in order.)

Si addormenta.   Si spoglia.   Si sveglia.
Fa colazione.   Va a scuola.   Prende l'autobus.
Si trucca.   Si veste.   Si fa la doccia.
Si lava i denti.

1. _____
2. _____
3. _____
4. _____
5. _____
6. _____
7. _____
8. _____
9. _____
10. _____

✎ 🔠 ESERCIZIO F

Leggere attentamente il brano e poi, scegliere le risposte corrette per completarlo.

(Read the passage carefully and then, select the correct responses to complete it.)

La mia amica Bianca

Io ho un'amica che **(1)** . . . Bianca. A lei piace molto dormire. La mattina **(2)** . . . tardi e non ha tempo per fare colazione. Molto spesso arriva a scuola in ritardo e i suoi professori **(3)** . . . . Io le dico sempre di andare a letto presto la sera così può **(4)** . . . facilmente la mattina per andare a scuola. Sfortunatamente non mi ascolta. Dice che la notte le piace **(5)** . . . tardi e preferisce dormire la mattina. Per questa ragione lei **(6)** . . . sempre stanca!

1. A. mi chiamo   B. ti chiami   C. si chiama   D. ci chiamiamo

2. A. si diploma   B. si sposa   C. si fa la barba   D. si sveglia

3. A. si spogliano   B. si arrabbiano   C. si laureano   D. si lavano

4. A. alzarsi   B. riposarsi   C. divertirsi   D. mettersi

5. A. pettinarsi   B. innamorarsi   C. fermarsi   D. addormentarsi

6. A. ti senti   B. si sente   C. mi sento   D. vi sentite

🔄 ESERCIZIO G

Con un compagno/una compagna, leggere e imparare il seguente dialogo e poi presentarlo alla classe.

(With a classmate, read and learn the following dialogue and then present it to the class.)

Una conversazione fra due amici.

Carmela	Cosimo, come ti senti oggi?
Cosimo	Benissimo, grazie! Finalmente ho preso un bel voto nell'esame di scienze.
Carmela	Anch'io! Sono molto contenta perché voglio specializzarmi in scienze.
Cosimo	Ti diplomi quest'anno?
Carmela	Spero di diplomarmi a giugno!

Sassari

Costruzione reciproca/
Reciprocal construction

The reciprocal construction (*costruzione reciproca*) indicates an action done equally by both sides. In English, to express reciprocal actions, words like **each other** or **one another** commonly follow the verb.

In Italian, the reciprocal construction is expressed by using the plural reflexive pronouns **ci, vi,** and **si (each other** or **one another)** before the conjugated verb.

Noi **ci** aiutiamo a fare i compiti.	*We help **each other** with homework.*
Voi **vi** scrivete spesso.	*You write to **one another** often.*
Loro **si** vedono ogni giorno.	*They see **each other** every day.*

 Here are some common reciprocal verbs:

1.	**abbracciarsi**	*to hug each other*
2.	**aiutarsi**	*to help one another*
3.	**baciarsi**	*to kiss each other*
4.	**conoscersi**	*to meet; to get to know one another*
5.	**incontrarsi**	*to run into one another; to meet each other*
6.	**lasciarsi**	*to leave one another; to break up*
7.	**salutarsi**	*to greet one another*
8.	**vedersi**	*to see each other*

ESERCIZIO A

Scrivere il pronome reciproco corretto per ogni frase.
(Write the correct reciprocal pronoun for each sentence.)

1. Io e il mio amico _____ incontriamo al bar.

2. Gli studenti _____ aiutano in classe.

3. La moglie e il marito _____ baciano.

4. Tu e Angelina _____ abbracciate quando _____ vedete.

5. Noi non _____ lasciamo mai!

ESERCIZIO B

Tradurre le 5 frasi dell'esercizio A in inglese.
(Translate the 5 sentences in exercise A into English.)

1. _____

2. _____

3. _____

4. _____

5. _____

ESERCIZIO C

Completare le frasi utilizzando la costruzione reciproca.
(Complete the sentences using the reciprocal construction.)

1. Non vedo l'ora di fare la tua conoscenza. Quando _____?

2. Tu e Massimo _____ ogni giorno a lezione.

3. Iolanda e Giorgio _____ prima di fare un viaggio.

4. Pia e Ida _____ quando non capiscono bene la lezione.

5. Io e Daniele _____ al cinema per vedere un film italiano.

Verbi riflessivi al passato prossimo/
Reflexive verbs in the past tense

The past tense of **ALL** reflexive verbs is formed by placing the reflexive pronoun before the auxiliary verb essere (*to be*) conjugated in the present tense and the past participle. The past participle must agree in gender and number with the subject.

Examine the conjugation of the following 3 reflexive verbs in the past tense in both Italian and in English:

svegliarsi	mettersi	vestirsi
io **mi sono svegliato/a**	io **mi sono messo/a**	io **mi sono vestito/a**
tu **ti sei svegliato/a**	tu **ti sei messo/a**	tu **ti sei vestito/a**
lui/lei **si è svegliato/a**	lui/lei **si è messo/a**	lui/lei **si è vestito/a**
Lei **si è svegliato/a**	Lei **si è messo/a**	Lei **si è vestito/a**
noi **ci siamo svegliati/e**	noi **ci siamo messi/e**	noi **ci siamo vestiti/e**
voi **vi siete svegliati/e**	voi **vi siete messi/e**	voi **vi siete vestiti/e**
loro **si sono svegliati/e**	loro **si sono messi/e**	loro **si sono vestiti/e**
to wake up	**to put on (clothing)**	**to get dressed**
I woke up; I did wake up	*I put on; I did put on; I have put on*	*I got dressed; I did get dressed*
you woke up	*you put on*	*you got dressed*
he/she woke up	*he/she put on*	*he/she got dressed*
you woke up	*you put on*	*you got dressed*
we woke up	*we put on*	*we got dressed*
you woke up	*you put on*	*you got dressed*
they woke up	*they put on*	*they got dressed*

Porto Cervo

ESERCIZIO A

Scrivere il pronome riflessivo giusto in ogni frase.

(Write the correct reflexive pronoun in each sentence.)

1. I ragazzi _____ sono fermati al bar per un cappuccino.

2. Io e la mia amica _____ siamo vestite elegantemente per la festa.

3. Lui _____ è lavato i denti due volte oggi.

4. Io _____ sono fatta la doccia alle sei stamattina.

5. Perché non _____ sei divertita?

ESERCIZIO B

Rispondere alle seguenti domande con frasi complete.

(Answer the following questions in complete sentences.)

1. A che ora ti sei addormentato/addormentata ieri sera?

   _____

2. Perché ti sei messo/messa i pantaloncini?

   _____

3. Di chi ti sei innamorato/innamorata?

   _____

4. Con che cosa ti sei lavato/lavata la faccia ieri?

   _____

5. Quando ti sei riposato/riposata?

   _____

ESERCIZIO C

Abbinare le frasi della Colonna A con le traduzioni corrispondenti nella Colonna B.

(Match the sentences in Column A with the corresponding translations in Column B.)

Colonna A	Colonna B
1. _____ Si è riposato in salotto.	A. You got angry with them.
2. _____ Ci siamo divertiti al mare.	B. They did not graduate.
3. _____ Non si sono spogliati.	C. You broke up.
4. _____ Mi sono sentita stanca oggi.	D. He relaxed in the living room.
5. _____ Ti sei fermata per dieci minuti.	E. They did not get undressed.
6. _____ Si è preparata per domani.	F. I felt tired today.
7. _____ Vi siete arrabbiati con loro.	G. We enjoyed ourselves at the beach.
8. _____ Non si sono laureate.	H. She got ready for tomorrow.
9. _____ Si è truccata.	I. You stopped for ten minutes.
10. _____ Vi siete lasciati.	J. She did put on make-up.

ESERCIZIO D

Tradurre il seguente paragrafo in inglese.
(Translate the following paragraph into English.)

La mattina Bianca si sveglia alle sei, si alza alle sei e un quarto e poi si lava. Dopo, si veste, fa colazione, si trucca, si prepara e finalmente, va a scuola in macchina.

In the morning _____

_____

_____

ESERCIZIO E

Riscrivere il seguente paragrafo al passato prossimo.
(Rewrite the following paragraph in the past tense.)

La mattina Bianca si sveglia alle sei, si alza alle sei e un quarto e poi si lava. Dopo, si veste, fa colazione, si trucca, si prepara e finalmente, va a scuola in macchina.

Ieri mattina _____

_____

_____

ESERCIZIO F

Leggere il seguente brano con attenzione e poi, scegliere le risposte corrette per completarlo.
(Read the following passage carefully and then, select the correct responses to complete it.)

La mia vacanza

Durante l'anno scolastico **(1)** . . . alle sei ogni mattina perché le mie lezioni cominciano presto. Ieri, il primo giorno di vacanza, **(2)** . . . alle dieci e sono rimasta a letto per una mezz'oretta. Verso le dieci e mezza mi sono alzata e **(3)** . . . due programmi televisivi che, di solito, non posso guardare perché sono a scuola. Poi, ho preso qualcosa di leggero da **(4)** . . . e, infine mi sono fatta la doccia, mi sono vestita e sono uscita. Verso le diciassette, sono ritornata a casa perché la mia mamma **(5)** . . . la cena e, di solito, la famiglia mangia alle diciannove. Verso le ventuno, la mia amica Emma è venuta da me per guardare un film. Alla fine del film lei **(6)** . . . a casa e io mi sono addormentata. Che bella giornata! Mi sono divertita un sacco!

1. A. mi alzo   B. mi addormento   C. mi diverto   D. mi riposo

2. A. mi sono fermata B. mi sono svegliata C. mi sono vestita   D. mi sono truccata

3. A. ho guardato   B. ho letto   C. ho scritto   D. ho perso

4. A. riscrivere   B. mostrare   C. mangiare   D. volere

5. A. corre   B. sceglie   C. assaggia   D. prepara

6. A. è nata   B. è entrata   C. è scesa   D. è ritornata

Vocabolario per la casa, le stanze, i mobili e altri oggetti/Vocabulary for the house, rooms, furniture and other objects

ESERCIZIO A

Lavorare con un compagno/una compagna. Leggere e imparare le seguenti parole utili sulla casa. Infine, completare l'esercizio.

(Work with a classmate. Read and learn the following useful house terms. Then, complete the exercise.)

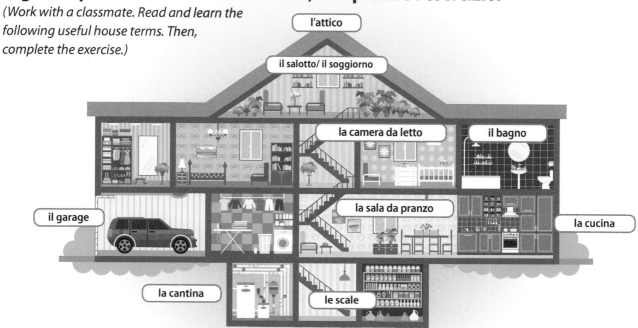

l'attico

il salotto/ il soggiorno

la camera da letto

il bagno

il garage

la sala da pranzo

la cucina

la cantina

le scale

il bagno

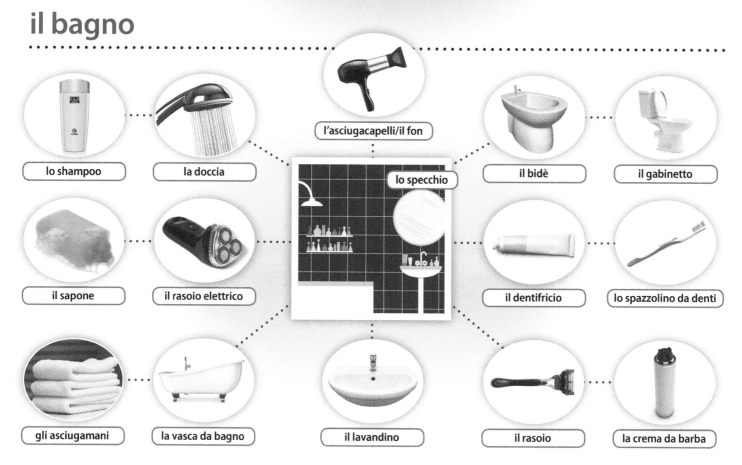

lo shampoo

la doccia

l'asciugacapelli/il fon

il bidè

il gabinetto

lo specchio

il sapone

il rasoio elettrico

il dentifricio

lo spazzolino da denti

gli asciugamani

la vasca da bagno

il lavandino

il rasoio

la crema da barba

la camera da letto

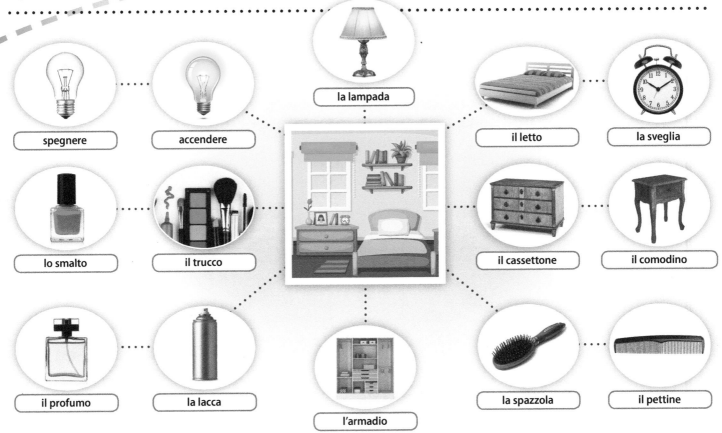

spegnere

accendere

la lampada

il letto

la sveglia

lo smalto

il trucco

il cassettone

il comodino

il profumo

la lacca

l'armadio

la spazzola

il pettine

la cucina

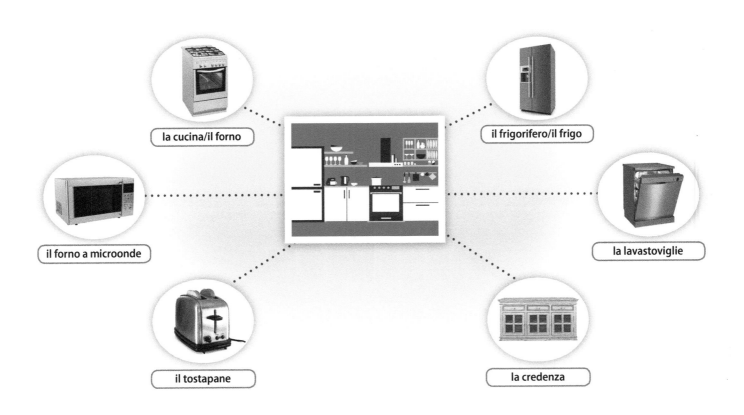

la cucina/il forno

il frigorifero/il frigo

il forno a microonde

la lavastoviglie

il tostapane

la credenza

il salotto/il soggiorno

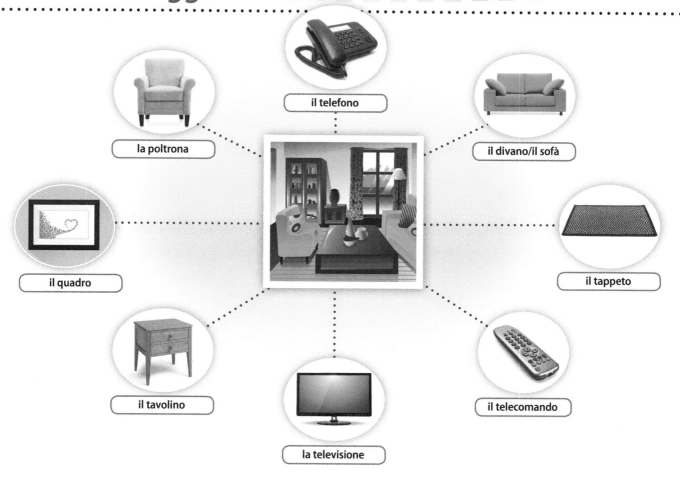

1. Come si dice «**cellar**» in italiano?
   A. la camera
   B. il salotto
   C. l'attico
   D. la cantina

2. Come si dice «**closet**»?
   A. il letto
   B. l'armadio
   C. il cassettone
   D. il comodino

3. Come si dice «**shower**»?
   A. il lavandino
   B. la vasca
   C. la doccia
   D. il gabinetto

4. Come si dice «**brush**»?
   A. la spazzola
   B. il sapone
   C. il rasoio
   D. la lacca

5. Come si dice «**oven**»?
   A. il fon
   B. il forno
   C. il tostapane
   D. il frigo

ESERCIZIO B

Completare ogni frase con il nome della camera/stanza appropriata.

(Complete each sentence with the name of the appropriate room.)

1. Mi piace dormire nella mia _____.

2. Mi faccio la doccia in _____.

3. La sera guardiamo la televisione in _____.

4. La mia famiglia ha pranzato in _____.

5. C'è un nuovo frigorifero bianco in _____.

6. Ci sono due macchine nel loro _____.

7. Avete apparecchiato la tavola in _____?

8. Non c'è una sveglia nella tua _____?

ESERCIZIO C

Lavorare insieme ad un compagno/una compagna. Formare delle frasi complete impiegando le parole date.

(Work together with a classmate. Form complete sentences using the given words.)

Esempio: spegnere/televisione/telecomando
Spengo la televisione con il telecomando.

1. lavarsi/mani/lavandino _____.

2. spazzolarsi/denti/bagno _____.

3. vestiti/mettere/armadio _____.

4. accendere/lampada/leggere _____.

5. bidè/bagni/americani _____.

ESERCIZIO D

Leggere il brano con attenzione e poi, scegliere le risposte corrette per completarlo.

(Read the passage carefully and then, select the correct responses to complete it.)

La nostra casa a Cagliari

I miei genitori hanno comprato una **(1)** ... nuova a Cagliari, il capoluogo della Sardegna. La casa è vicino al mare. Ci sono cinque **(2)** ... . Al primo piano c'è la cucina dove noi passiamo molto tempo; a destra c'è il soggiorno con un **(3)** ... e due poltrone; e a sinistra c'è un bagno. Al secondo piano ci sono due camere da **(4)** ...; una per i miei genitori e l'altra per me e per mia sorella. La mia stanza preferita è il salotto perché c'è sempre molta luce dalle **(5)** ... grandi. Spesso leggo il giornale e faccio i compiti mentre ammiro il panorama stupendo della spiaggia.

1. A. casa   B. appartamento   C. cantina   D. garage
2. A. bagni   B. salotti   C. stanze   D. cucine
3. A. vasca da bagno   B. lavastoviglie   C. gabinetto   D. divano
4. A. armadio   B. letto   C. comodino   D. specchio
5. A. pareti   B. finestre   C. tappeti   D. cassettone

ESERCIZIO E

Scegliere la parola che non appartiene alla categoria.

(Select the word that does not belong in the category.)

1. A. l'asciugamano   B. il fon   C. la sveglia   D. l'asciugacapelli
2. A. la poltrona   B. il trucco   C. la lacca   D. il dentifricio
3. A. lo specchio   B. la spazzola   C. il pettine   D. il sapone
4. A. il cassettone   B. il profumo   C. il comodino   D. l'armadio
5. A. il forno   B. il frigorifero   C. il tostapane   D. il quadro
6. A. la vasca   B. la doccia   C. lo smalto   D. il bidè

IN AFFITTO

Affittasi casa spaziosa e ben arredata costituita da: **ampio salotto, cucina moderna, 2 bagni, 3 camere da letto, posto auto, veranda coperta con tavola e sedie, orto/giardino.** Situata in zona tranquilla a dieci minuti dal centro e da tutti i servizi (supermercato, ristoranti, cinema, farmacia, bar tabacchi, panetteria, macelleria, ecc.)

• Massimo 6 persone
• Niente animali
• Chiamare Agostino a _____ dopo le ore 17,00

Le Cinque Abilità

Ascolto, Lettura, Scrittura, Comunicazione, Cultura

🎧 Ascolto 1/Interpretive Mode

Ascoltare attentamente la conversazione due volte. Poi, rispondere alle 3 domande.

(Listen carefully to the conversation repeated twice. Then, answer the 3 questions.)

1. Cosa ha fatto Diana durante l'estate?
- A. Ha studiato.
- B. Ha nuotato.
- C. Si è arrabbiata.
- D. Si è sposata.

2. Quando si è riposata Diana?
- A. ogni giorno
- B. la sera tardi
- C. solo il fine settimana
- D. durante la settimana

3. Secondo Diana, com'è stato il programma estivo?
- A. gradevole
- B. seccante
- C. odioso
- D. noioso

🎧 Ascolto 2/Interpretive Mode

Ascoltare attentamente ogni frase due volte. Poi, scrivere la lettera dell'immagine che corrisponde a ciascuna frase sulla linea.

(Listen carefully to each sentence repeated twice. Then, write the letter of the picture that corresponds to each sentence on the line.)

A   B   C   D   E

1. _____ 2. _____ 3. _____ 4. _____ 5. _____

Oristano

Leggere attentamente il brano e poi, rispondere alle 5 domande.

(Read the passage carefully and then, answer the 5 questions.)

Grazia Deledda

Nuoro

Grazia Deledda

Grazia Deledda, era una scrittrice italiana del Novecento. È nata nel 1871 in Sardegna nella città di Nuoro. È cresciuta in una famiglia piuttosto grande e ricca. Nel 1888 ha cominciato a scrivere articoli sulla Sardegna pubblicati in alcune piccole riviste. Nel 1891 ha pubblicato il suo primo romanzo intitolato «*Amore regale*».

Otto anni dopo ha lasciato Nuoro per trasferirsi a Cagliari e nel 1900 si è sposata ed è andata a vivere a Roma con suo marito senza avere la possibilità di tornare mai più nel suo paese di nascita. La vera ispirazione della Deledda erano i ricordi della sua gioventù in Sardegna. I suoi romanzi sono impregnati della cultura religiosa della sua regione e del tema del bene e del male. I suoi romanzi sono realistici nella rappresentazione artistica e poetica. Infatti, in una delle sue lettere, Deledda scrive: «*Leggo relativamente poco, ma cose buone e cerco sempre di migliorare il mio stile. Io scrivo ancora male in italiano - ma anche perché ero abituata al dialetto sardo che è per sé stesso una lingua diversa dall'italiana*». Alcuni libri scritti da lei sono: *Cosima, Cenere, Canne al vento, La madre, L'Edera* e altri. Grazia Deledda è stata la prima donna a ricevere il Premio Nobel per la letteratura. È morta a Roma nel 1936 all'età di sessantacinque anni.

1. A quale età pubblica il primo romanzo Grazia Deledda?

   A. a venti anni   C. a diciotto anni

   B. a sedici anni   D. a ventidue anni

2. Qual era la sua vera ispirazione?

   A. la sua famiglia   C. suo marito

   B. la sua infanzia   D. suo padre

3. Quali sono alcuni dei temi nei romanzi di Grazia Deledda?

   A. i dialetti sardi   C. i politici anziani

   B. le isole natali   D. i problemi umani

4. Cosa dice Grazia Deledda del dialetto sardo?

   A. È una lingua facile da scrivere.   C. È differente dalla lingua italiana.

   B. I sardi non si capiscono.   D. La gente non lo parla bene.

5. In che anno è morta la scrittrice sarda?

   A. nel milleottocentosettantuno   C. nel millenovecentotrentasei

   B. nel milleottocentoottantotto   D. nel millenovecentoventisei

✉ Scrittura/Interpretive Mode

Scrivere un paragrafo sul seguente tema.

(Write a paragraph about the following topic.)

Sei appena tornato/tornata a scuola. Adesso descrivi una tua tipica giornata estiva in 10 frasi con almeno 5 verbi riflessivi al passato prossimo.
(You have just returned to school. Now describe one of your typical summer days in 10 sentences with at least 5 reflexive verbs in the past tense.)

💬 Comunicazione Orale/
Interpersonal Mode

💬 ESERCIZIO A

Che cosa fa Francesca ogni mattina? Discutere le sue attività secondo le immagini.

(What does Francesca do every morning? Discuss her activities according to the pictures.)

1   2   3  4

5   6   7   8

💬 ESERCIZIO B

Lavorare insieme ad un compagno/una compagna. Leggere e commentare le 5 frasi usando le espressioni contenute nella tavola. Ognuno legge e commenta ogni frase.

(Work together with a classmate. Read and comment on the 5 sentences using the expressions in the chart. Each person reads and comments on each statement.)

Sono d'accordo perché . . . I agree because . . .	Non sono d'accordo perché . . . I disagree because . . .
È vero perché . . . It's true because . . .	Non è vero perché . . . It's not true because . . .
Hai ragione perché . . . You are right because . . .	Ti sbagli perché . . . You are wrong because . . .

Esempio: Ho messo il latte nel frigorifero.
  È vero perché ho messo il latte nel frigorifero. **OR**
  È vero perché l'ho messo nel frigorifero.

1. Il signore ha bisogno di un rasoio per farsi la barba.

2. I miei genitori preparano da mangiare nella doccia.

3. Le loro amiche si aiutano quando non capiscono bene la lezione.

4. In bagno ci sono gli asciugamani, il dentifricio e la poltrona.

5. Nostra sorella si è laureata due anni fa.

🌐 Cultura/Interpretive Mode

Leggere e discutere le seguenti informazioni sulla Sardegna e poi, completare gli esercizi.

(Read and discuss the following information about Sardegna and then, complete the exercises.)

1. È un'isola e una regione turistica e agricola al centro del Mediterraneo.

2. Cagliari è il capoluogo e il porto internazionale, commerciale e industriale.

3. Gli abitanti della Sardegna sono chiamati «sardi».

4. La Sardegna è la seconda isola più grande del Mediterraneo.

5. La pianura sarda produce avena, orzo e frumento.

6. La cucina sarda ha ingredienti semplici e originali perché viene da una tradizione pastorale e contadina.

7. Alcune specialità della Sardegna sono:
   - **il prosciutto di cinghiale o di maiale**
   - **le salsicce**
   - **i malloreddus**, gnocchi sardi
   - **i culurgiones**, una specie di ravioli
   - **il pane carasau** chiamato anche *«la carta da musica»*, un pane sardo sottile
   - **il fiore sardo** e **il pecorino sardo**, due formaggi sardi

i culurgiones

8. È conosciuta anche per due vini rossi, il *Cannonau* e il *Monica* e per due vini bianchi la *Malvasia di Bosa* e la *Vernaccia*.

9. Altre città della regione sono: Nuoro, Oristano e Sassari.

10. Un posto molto famoso per il turismo italiano e internazionale è Porto Cervo che si trova sulla Costa Smeralda. La Costa Smeralda è conosciuta per le sue bellissime spiagge e mare color smeraldo.

11. Alcuni personaggi famosi della Sardegna sono:
    - Grazia Deledda *(scrittrice Premio Nobel,1871–1936)*
    - Antonio Gramsci *(scrittore/politico, 1891–1937)*
    - Francesco Cossiga *(presidente/politico, 1928–2010)*

www.regione.sardegna.it

Antonio Gramsci

il pane carasau

ESERCIZIO A

Leggere attentamente le 10 frasi e poi, secondo le informazioni sulla cultura, scegliere *Vero* o *Falso*.

*(Read the 10 sentences carefully and then, according to the cultural information, select **True** or **False**.)*

1.	Nuoro è il capoluogo della Sardegna.	Vero	Falso
2.	Grazia Deledda è nata in Sardegna.	Vero	Falso
3.	La Sardegna si trova nell'Italia meridionale.	Vero	Falso
4.	I prodotti alimentari della Sardegna sono il prosciutto, il formaggio e il vino.	Vero	Falso
5.	La Sardegna è l'isola più grande del Mediterraneo.	Vero	Falso
6.	La Sardegna ha molta costa.	Vero	Falso
7.	La cucina sarda ha gli ingredienti molto sofisticati.	Vero	Falso
8.	Porto Cervo fa parte della Costa Smeralda.	Vero	Falso
9.	Un vino sardo è la *Vernaccia*.	Vero	Falso
10.	Francesco Cossiga era uno scrittore sardo.	Vero	Falso

il fiore sardo

ESERCIZIO B

Scegliere le risposte corrette. Fare una ricerca su Internet se necessario.

(Select the correct responses. Do Internet research if necessary.)

1. La città di . . . è un porto sardo.
A. Borore   B. Cagliari   C. Nuoro   D. Sassari

2. In Sardegna non c'è la produzione . . . .
A. d'avena   B. d'orzo   C. di frumento   D. di panettone

3. La Sardegna è una regione e anche . . . .
A. un fiume   B. una città   C. un porto   D. un'isola

4. Grazia Deledda ha scritto . . . .
A. *Cenere*   B. *il Decamerone*   C. *il Canzoniere*   D. *la Divina Commedia*

5. L'acqua della Costa Smeralda è . . . .
A. marrone   B. verde   C. grigia   D. nera

la Costa Smeralda

Sito Uno: Vocabolario

aggettivi

abituato - accustomed to; used to

colpevole - guilty

confuso - confused

gradevole - pleasant

impregnato - saturated

intitolato - entitled

leggero - light (meal; clothes)

natale - native

odioso - hateful

pubblicato - published

sporco - dirty

televisivo - television

altre parole

da me - to my house

infine - at last; finally

piuttosto - rather

sé stesso - himself; itself

nomi/sostantivi

la casa/le stanze/   house/rooms/
i mobili/gli oggetti - furniture/objects
                    (pagine 57-59, Indice 277)

il dialetto - dialect

la gioventù - youth

il premio - award

il ricordo - memory

il romanzo - novel

verbi

i verbi reciproci - reciprocal verbs (pagina 53, Indice 281)

i verbi riflessivi - reflexive verbs (pagina 49, Indice 280)

accendere - to turn on something

asciugarsi - to dry (oneself)

crescere - to grow up

divertirsi un sacco - to enjoy oneself a lot/much

dominare - to dominate

migliorare - to make better; ameliorate; improve

mostrare - to show

pubblicare - to publish

scegliere - to choose; select; opt

spegnere - to turn off

trascorrere - to pass/spend time

trasferirsi *(isc)* - to move; transfer

Sito 2
Il Trentino-Alto Adige/
Il Friuli-Venezia Giulia

Bolzano

Italia

Objectives:

- Form and utilize regular and irregular imperatives.
- Use direct object pronouns with imperatives.
- Identify terms relating to the table and table setting.
- Locate and discuss characteristics of the regions Trentino-Alto Adige and Friuli-Venezia Giulia.

Per chiacchierare:

- What is the difference between a formal and an informal command in English?
- How often does your entire family dine together?
- Why would you visit these two regions?

Discuss the proverb:

È una buona forchetta.

He/she is a hearty eater.

Imperativi/Imperatives (Commands)

An imperative *(imperativo)* is a verb form used to give commands, orders, instructions, suggestions or directions in the present tense. In writing, an imperative statement always ends with an exclamation point "!" *(punto esclamativo)*. In speaking, the intonation (raising of the voice) tells the listener that it is an imperative.

- In English there is 1 verb form to indicate an imperative (command) because there is only 1 way to express the subject pronoun YOU.

- In Italian there are several verb forms to indicate an imperative (command) because there are 3 different ways to express the subject pronoun YOU.
  tu *(informale singolare)* is used when speaking to a person you know well.
  Lei *(formale singolare)* is used when speaking to a person you do not know well.
  voi *(informale e formale plurale)* is used when speaking to more than one person in any situation.

- The imperative form "voi" is presented in this text because it is the form that is currently used in Italy in plural situations.

 # Imperativi informali al singolare (tu)/ Informal singular imperatives

An informal imperative is used when giving a command or an order to a family member, a friend, a child, a peer, or a pet.

Affermativo	Negativo
Marco, **controlla** il cellulare! *Marco, check the cellphone!*	Marco, **non controllare** il cellulare! *Marco, don't check the cellphone!*
Papà, **leggi** pagina sedici! *Dad, read page sixteen!*	Papà, **non leggere** pagina sedici! *Dad, don't read page sixteen!*
Emma, **apri** l'armadio! *Emma, open the closet!*	Emma, **non aprire** l'armadio! *Emma, don't open the closet!*

? **DOMANDA:**

What have you noticed about the formation of informal singular imperatives in the affirmative and negative in Italian? Explain.

Imperativi informali e formali al plurale (voi)/
Informal and formal plural imperatives

Informal and formal imperatives are used when giving orders to more than one person in any situation.

Affermativo	Negativo
Gia e Anna, **controllate** il cellulare! *Gia and Anna, check the cellphone!*	Gia e Anna, **non controllate** il cellulare! *Gia and Anna, don't check the cellphone!*
Studenti, **leggete** pagina sedici! *Students, read page sixteen!*	Studenti, **non leggete** pagina sedici! *Students, don't read page sixteen!*
Signori, **aprite** le buste! *Gentlemen, open the envelopes!*	Signori, **non aprite** le buste! *Gentlemen, don't open the envelopes!*

? DOMANDA:

What have you noticed about the formation of informal and formal plural imperatives in the affirmative and negative in Italian? Explain.

Imperativi formali al singolare (Lei)/
Formal singular imperatives

A formal singular imperative is used with a person you do not know, a person you meet for the first time, or a person with a title.

⚠ ATTENZIONE!

Definite articles are not used when directly addressing a person with a title!

il Lago di Garda

Affermativo	Negativo
Signor Bianco, **controlli** il cellulare! *Mr. Bianco, check the cellphone!*	Signor Bianco, **non controlli** il cellulare! *Mr. Bianco, don't check the cellphone!*
Signorina Ruzzo, **legga** pagina sedici! *Miss Ruzzo, read page sixteen!*	Signorina Ruzzo, **non legga** pagina sedici! *Miss Ruzzo, don't read page sixteen!*
Professoressa, **apra** la finestra! *Professor, open the window!*	Professoressa, **non apra** la finestra! *Professor, don't open the window!*

? DOMANDA:

What have you noticed about the formation of formal singular imperatives in the affirmative and negative in Italian? Explain.

Imperativi al plurale (noi)/
Plural imperatives (we)

In English the "we" form of the imperative is expressed as "Let us" or "Let's". In Italian, it is the "noi" form of the verb.

The "*Let us*" or "*Let's*" plural imperative form is used when the speaker includes himself or herself in the command along with other people.

Affermativo	Negativo
Controlliamo il cellulare! *Let's check the cellphone!*	**Non controlliamo** il cellulare! *Let's not check the cellphone!*
Leggiamo pagina sedici! *Let's read page sixteen!*	**Non leggiamo** pagina sedici! *Let's not read page sixteen!*
Apriamo gli occhi! *Let's open our eyes!*	**Non apriamo** gli occhi! *Let's not open our eyes!*

? DOMANDA:

What have you noticed about the formation of the "Let us" or "Let's" plural imperatives in the affirmative and negative in Italian? Explain.

Here are the endings for all regular imperative verb forms:

⚠ ATTENZIONE!

*The verb infinitive is used **ONLY** when the imperative is negative and it is in the informal singular (*tu*).

	-are	-ere	-ire	-ire (isc)
*tu	-a	-i	-i	-isci
Lei	-i	-a	-a	-isca
noi	-iamo	-iamo	-iamo	-iamo
voi	-ate	.-ete	-ite	-ite

- To form a negative imperative, place "**non**" (*don't*) before the verb form.

- To form a negative imperative in the informal singular (tu), place "non" before the infinitive form.
  Esempi: Stella, non toccare il forno!
  Paolo, non dormire!

ESERCIZIO A

Scrivere l'imperativo corretto del verbo.
(Write the correct imperative of the verb.)

1. Studentesse, non (**aprire**) _____ le finestre!

2. Professore, (**scrivere**) _____ le parole alla lavagna!

3. Luigi, (**cantare**) _____ una bella canzone in italiano!

4. Giocatori, (**giocare**) _____ bene oggi!

5. Luisa, (**finire**) _____ di mangiare la verdura!

6. Giulio, non (**rispondere**) _____ al cellulare in classe!

7. Ragazzi, (**cliccare**) _____ sul sito *Trentino-Alto Adige*!

8. Dottoressa, (**controllare**) _____ la pressione!

9. Signora, per piacere (**pulire**) _____ la mia camera!

10. Nonna, non (**apparecchiare**) _____ la tavola!

ESERCIZIO B

Completare le frasi con un verbo appropriato all'imperativo.
(Complete the sentences with an appropriate verb in the imperative.)

1. Studenti, non _____ in classe!

2. Mamma, _____ il programma alla televisione!

3. Roberto, non _____ il clarinetto in casa!

4. Bambini, _____ i vostri genitori!

5. Signora, _____ quest'antipasto! È squisito!

ESERCIZIO C

Completare i seguenti imperativi in modo logico.
(Complete the following imperatives in a logical manner.)

1. Franco, non passare molto tempo _____!

2. Vinciamo _____!

3. Signora, spedisca _____!

4. Gianna, metti _____!

5. Antonio, non parcheggiare _____!

6. Non cucinate _____!

Imperativi con i pronomi di oggetto diretto/
Imperatives with direct object pronouns

Here are examples and explanations for imperatives used with direct object pronouns (**mi, ti, lo, la, La, ci, vi, li, le, Li, Le**) in the affirmative and in the negative.

Informal singular imperatives (tu):

1. In the affirmative, the direct object pronoun is attached to the imperative form.

Cosmo, servi gli spaghetti!	*Cosmo, serve the spaghetti!*
Cosmo, servi**li**!	*Cosmo, serve them!*

2. In the negative, the direct object pronoun can precede or proceed the imperative form.

- If it precedes, the pronoun follows the word "non".

Cosmo, non servire gli spaghetti!	*Cosmo, don't serve the spaghetti!*
Cosmo, non **li** servire!	*Cosmo, don't serve them!*

- If it proceeds, the pronoun is attached to the infinitive after dropping the final letter "**e**" from the infinitive.

Cosmo, non servire gli spaghetti!	*Cosmo, don't serve the spaghetti!*
Cosmo, non servir**li**!	*Cosmo, don't serve them!*

Formal singular imperatives (Lei):

In the affirmative and negative, the direct object pronoun always precedes the imperative form.

Signore, prenda il pane!	*Sir, take the bread!*
Signore, **lo** prenda!	*Sir, take it!*

Signore, non prenda il pane!	*Sir, don't take the bread!*
Signore, non **lo** prenda!	*Sir, don't take it!*

Informal and formal plural imperatives (voi):

1. In the affirmative, the direct object pronoun is attached to the imperative form.

Signorine, pulite le stanze!	*Ladies, clean the rooms!*
Signorine, pulite**le**!	*Ladies, clean them!*

2. In the negative, the direct object pronoun **MUST** precede the imperative form.

Signorine, non pulite le stanze!	*Ladies, don't clean the rooms!*
Signorine, non **le** pulite!	*Ladies, don't clean them!*

"Let us" or "Let's" imperatives (noi)

1. In the affirmative, the direct object pronoun is attached to the imperative form.

Chiudiamo la porta!	*Let's close the door!*
Chiudiamo**la**!	*Let's close it!*

2. In the negative, the direct object pronoun is more commonly placed before the verb form and is rarely attached to the imperative form.

Non chiudiamo la porta!	*Let's not close the door!*
Non **la** chiudiamo!	*Let's not close it!*
or	
Non chiudiamo**la**!*	*Let's not close it!* (*rarely used)

Per ripassare la posizione dei pronomi di oggetto diretto con gli imperativi, seguire queste regole:

	affermativo (+)	negativo (-)
tu	attach pronoun to the imperative	place pronoun before or after the imperative (infinitive)
Lei	place pronoun before the imperative	place pronoun before the imperative
noi	attach pronoun to the imperative	place pronoun before the imperative
voi	attach pronoun to the imperative	place pronoun before the imperative

 ESERCIZIO A

Scegliere il soggetto corretto secondo l'imperativo.
(Choose the correct subject according to the imperative form.)

1. _____ Aprila!   A. voi

2. _____ Ripetetele!   B. Lei

3. _____ Cerchiamoli!   C. tu

4. _____ Professoressa, lo spieghi!   D. noi

 ESERCIZIO B

Scegliere il soggetto corretto secondo l'imperativo.
(Choose the correct subject according to the imperative form.)

1. _____ Non li prendere!   A. voi

2. _____ Non la dimentichi!   B. Lei

3. _____ Non le portate!   C. tu

4. _____ Non la accendiamo!   D. noi

 **ESERCIZIO C**

Riscrivere i seguenti imperativi con i pronomi di oggetto diretto.

(Rewrite the following imperatives with direct object pronouns.)

Esempio: Suona la chitarra! *Suonala!*

1. Abbraccia la tua amica! _____
2. Prepariamo il contorno! _____
3. Noleggiamo la macchina! _____
4. Spedisca queste lettere! _____
5. Vendi la tua racchetta! _____
6. Imparate l'imperativo! _____
7. Pulisci le camere da letto! _____
8. Assaggi gli antipasti! _____

ESERCIZIO D

Riscrivere le frasi usando la forma negativa dell'imperativo e i pronomi di oggetto diretto.

(Rewrite the sentences using the negative form of the imperative and direct object pronouns.)

Esempio: Suona la chitarra! *Non suonarla!* or *Non la suonare!*

1. Abbraccia la tua amica! _____
2. Prepariamo il contorno! _____
3. Noleggiamo la macchina! _____
4. Spedisca queste lettere! _____
5. Vendi la tua racchetta! _____
6. Imparate l'imperativo! _____
7. Pulisci le camere da letto! _____
8. Assaggi gli antipasti! _____

una FIAT Cinquecento

 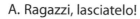

ESERCIZIO E

Scegliere la frase corrispondente con l'imperativo e il pronome di oggetto diretto.

(Select the corresponding sentence with the imperative and direct object pronoun.)

1. Ragazzi, lasciate la mancia!

   A. Ragazzi, lasciatelo! C. Ragazzi, lasciateli!

   B. Ragazzi, lasciatela! D. Ragazzi, lasciatele!

2. Cantiamo le canzoni italiane!

   A. Cantiamolo! C. Cantiamoli!

   B. Cantiamola! D. Cantiamole!

3. Signor Nota, segua i turisti, per piacere!

   A. Signor Nota, lo segua! C. Signor Nota, li segua!

   B. Signor Nota, la segua! D. Signor Nota, le segua!

4. Figlia mia, non perdere l'autobus!

   A. Figlia mia, non perderlo! C. Figlia mia, non perderli!

   B. Figlia mia, non perderla! D. Figlia mia, non perderle!

5. Sandro, non suonare il clarinetto!

   A. Sandro, non lo suonare! C. Sandro, non li suonare!

   B. Sandro, non la suonare! D. Sandro, non le suonare!

Imperativi con i verbi riflessivi/
Imperatives with reflexive verbs

Affirmative and negative imperatives with reflexive pronouns (**ti, si, ci, vi**) follow the same rules as imperatives with direct object pronouns.

Informal singular imperatives (tu):

Emma, lava**ti** la faccia!	*Emma, wash your face!*
Emma, non **ti** lavare la faccia!	*Emma, don't wash your face!*
or	
Emma, non lavar**ti** la faccia!	*Emma, don't wash your face!*

Formal singular imperatives (Lei):

Signorina, **si** trucchi!	*Miss, apply your make-up!*
Signorina, non **si** trucchi!	*Miss, don't apply your make-up!*

Informal and formal plural imperatives (voi):

Studenti, alzate**vi**!	*Students, stand up!*
Studenti, non **vi** alzate!	*Students, don't stand up!*

Plural imperatives "Let's" (noi):

Svegliamo**ci** presto domani!	*Let's wake up early tomorrow!*
Non **ci** svegliamo presto domani!	*Let's not wake up early tomorrow!*
or	
Non svegliamo**ci** presto domani!*	*Let's not wake up early tomorrow!*
	(*rarely used)

⊗ ESERCIZIO A

Scrivere una frase con la forma affermativa e negativa dell'imperativo per ogni immagine usando il soggetto suggerito fra parentesi.

(Write an affirmative and negative imperative sentence for each picture using the subject indicated in parentheses.)

1. (+ tu) _____

    (- tu) _____

4. (+ Lei) _____

    (- Lei) _____

2. (+ noi) _____

    (- noi) _____

5. (+ voi) _____

    (- voi) _____

3. (+ tu) _____

    (- tu) _____

6. (+ voi) _____

    (- voi) _____

Udine

ESERCIZIO B

Scrivere una frase con l'imperativo per ogni situazione.
(Write an imperative sentence for each situation.)

1. Tell your teacher not to get mad.

2. Tell your friend not to fall asleep and to listen.

3. Tell your cousins to get ready.

4. Tell your sister to put on her shoes.

5. Tell your teacher to relax.

6. Tell your friends not to stop at the coffee shop.

Imperativi irregolari/
Irregular imperatives

Here are some verbs that have irregular imperative forms:

	tu	Lei	voi	noi
andare *(to go)*	va' or vai	vada	andate	andiamo
avere *(to have)*	abbi	abbia	abbiate	abbiamo
dare *(to give)*	da' or dai	dia	date	diamo
dire *(to say; tell)*	di'	dica	dite	diciamo
essere *(to be)*	sii	sia	siate	siamo
fare *(to do; make)*	fa' or fai	faccia	fate	facciamo
stare *(to stay; be)*	sta' or stai	stia	state	stiamo
venire *(to come)*	vieni	venga	venite	veniamo

 ATTENZIONE!

The imperative form "tu" takes the infinitive in the negative command **ONLY**!

Esempi:

Merano

andare a lezione - *to go to class*	dire la verità - *to say; tell the truth*	stare zitto - *to be quiet*
Go to class!	Tell the truth!	Be quiet!
(tu) **Va'** or **Vai** a lezione!	(tu) **Di'** la verità!	(tu) **Sta'** or **Stai** zitto/a!
(Lei) **Vada** a lezione!	(Lei) **Dica** la verità!	(Lei) **Stia** zitto/a!
(voi) **Andate** a lezione!	(voi) **Dite** la verità!	(voi) **State** zitti/e!
Let's go to class!	Let's tell the truth!	Let's be quiet!
(noi) **Andiamo** a lezione!	(noi) **Diciamo** la verità!	(noi) **Stiamo** zitti/e!
avere pazienza - *to have patience*	essere puntuale - *to be on time*	venire al sodo - *to get to the point*
Have patience!	Be on time!	Get to the point!
(tu) **Abbi** pazienza!	(tu) **Sii** puntuale!	(tu) **Vieni** al sodo!
(Lei) **Abbia** pazienza!	(Lei) **Sia** puntuale!	(Lei) **Venga** al sodo!
(voi) **Abbiate** pazienza!	(voi) **Siate** puntuali!	(voi) **Venite** al sodo!
Let's have patience!	Let's be on time!	Let's get to the point!
(noi) **Abbiamo** pazienza!	(noi) **Siamo** puntuali!	(noi) **Veniamo** al sodo!
dare il cinque - *to give a high five*	fare i compiti - *to do homework*	
Give a high five!	Do your homework!	
(tu) **Da'** or **Dai** il cinque!	(tu) **Fa'** or **Fai** i compiti!	
(Lei) **Dia** il cinque!	(Lei) **Faccia** i compiti!	
(voi) **Date** il cinque!	(voi) **Fate** i compiti!	
Let's give a high five!	Let's do our homework!	
(noi) **Diamo** il cinque!	(noi) **Facciamo** i compiti!	

Guardare le immagini, e per ogni situazione, scrivere la frase con l'imperativo.

(Look at the pictures, and for each situation, write the sentence with the imperative.)

Tell your brother to have breakfast.

1. _____

Tell your friends to give a high five.

5. _____

Tell your sister not to make her bed.

2. _____

Tell the students to go to school.

6. _____

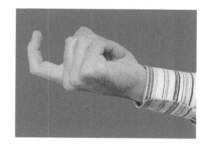

Tell the doctor to be on time.

3. _____

Tell your little brother to come here.

7. _____

Tell the children to be quiet.

4. _____

Tell Assunta to say "Good morning".

8. _____

⚔ ESERCIZIO B

Scrivere due frasi affermative e due frasi negative con la forma dell'imperativo dei verbi irregolari.

(Write two affirmative and two negative sentences using irregular verbs in the imperative.)

1. Ogni mattina mia madre dice alla mia sorellina:

   (+)_____   (–)_____

   (+)_____   (–)_____

2. Io dico sempre al mio professore:

   (+)_____   (–)_____

   (+)_____   (–)_____

3. La nostra professoressa dice sempre agli studenti/alle studentesse:

   (+)_____   (–)_____

   (+)_____   (–)_____

Imperativi irregolari con i pronomi di oggetto diretto/Irregular imperatives with direct object pronouns

When a pronoun is attached to the imperative tu forms **fa'**, **da'**, **di'**, and, **sta'**, the apostrophe is dropped and the consonant of the pronoun is doubled.

Esempi:

Fa' il letto!
Make the bed!

Fa**ll**o!
Make it!

Non **lo** fare!
Non far**lo**!
Don't make it!

Da' gli esami scritti!
Take the written tests!

Da**ll**i
Take them!

Non **li** dare!
Non dar**li**!
Don't take them!

Di' la verità!
Say the truth!

Di**ll**a!
Say it!

Non **la** dire!
Non dir**la**!
Don't say it!

Sta**mm**i bene!
Take care!

Vocabolario per la tavola/Vocabulary for the table

ESERCIZIO A

Lavorare con un compagno/una compagna. Leggere e imparare le seguenti parole utili sulla tavola. Infine, completare l'esercizio.

(Work with a classmate. Read and learn the following useful table terms. Then, complete the exercise.)

la tavola

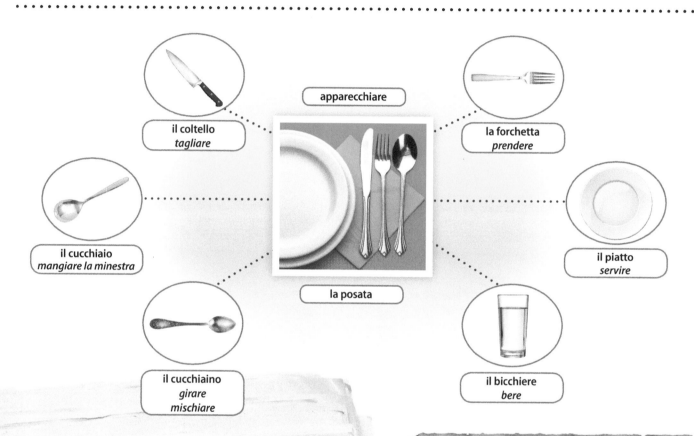

il coltello
tagliare

apparecchiare

la forchetta
prendere

il cucchiaio
mangiare la minestra

il piatto
servire

la posata

il cucchiaino
girare
mischiare

il bicchiere
bere

...ta si intende principalmente
...chetta, il coltello o il cucchi-
...giare o cucinare evitando il
...mani. La posate sono realiz-
...metallo; un tempo in argento,
...pacca, oggi acciaio inox, ma
...in legno, corno o porcellana.
...ce o per occasioni in cui non
...avare le posate come picnic o
...plastica usa e getta, anche im-
...nici.

...posate da tavola, quelle usate
...e di servizio, sia quelle usate
...vola che quelle usate in cucina
...ei cibi. Fa parte con i piatti e le
...o da tavola, è strutturato per un
...i coperti: solitamente 6 o 12,
...realizzati con il medesimo ma-
...ssa linea e le stesse decorazioni.

...posata si intende principalmente
...forchetta, il coltello o il cucchi-
...mangiare o cucinare evitando il
...e le mani. La posate sono realiz-
...in metallo; un tempo in argento,
...alpacca, oggi acciaio inox, ma
...ate in legno, corno o porcellana.
...veloce o per occasioni in cui non
...li lavare le posate come picnic o
...te in plastica usa e getta, anche
...vi igienici. Si dividono in posate
...usate per mangiare, e posate di
...e usate per servire i cibi a tavola
...n cucina per la preparazione dei
...i piatti e le cristallerie del servizio
...rato per un prestabilito numero di
...te 6 o 12, tutti i suoi pezzi sono re-
...desimo materiale e hanno la stessa
...ecorazioni.

...in posate da tavola, quelle usate
...posate di servizio, sia quelle usate
...a tavola che quelle usate in cucina

SERVIZIO DI POSATE DA 24 PEZZI

DESCRIZIONE DEL PRODOTTO:
6 CUCCHIAI
6 CUCCHIAINI
6 COLTELLI
6 FORCHETTE

COLORE: MULTICOLORE

MATERIALE: ACCIAIO

GARANZIA: 2 ANNI

€ 39,90 NUOVO

A tavola non s'invecchia.

One doesn't age at the table.

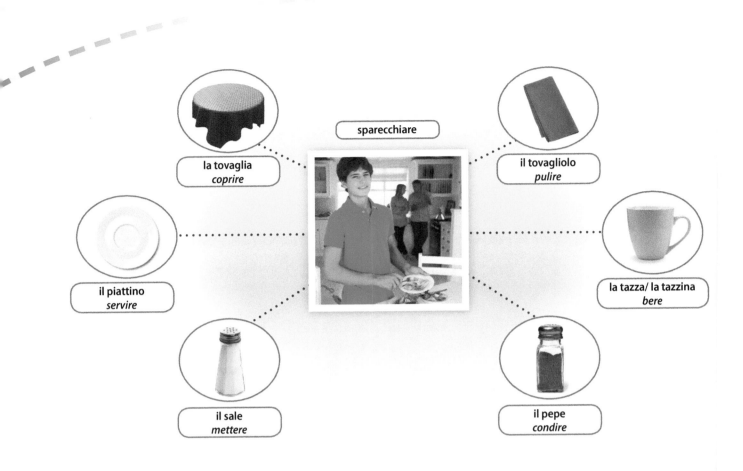

sparecchiare

la tovaglia
coprire

il tovagliolo
pulire

il piattino
servire

la tazza/ la tazzina
bere

il sale
mettere

il pepe
condire

1. Come si dice «**teaspoon**» in italiano?
   A. il cucchiaio
   B. il cucchiaino
   C. il coltello
   D. il piattino

2. Come si dice «**to mix**»?
   A. mettere
   B. tagliare
   C. coprire
   D. mischiare

3. Come si dice «**tablecloth**»?
   A. la tovaglia
   B. il bicchiere
   C. il tovagliolo
   D. la posata

4. Come si dice «**glass**»?
   A. la tazza
   B. la tazzina
   C. il bicchiere
   D. il sale

5. Che significa «**tovagliolo**» in inglese?
   A. table
   B. napkin
   C. tablecloth
   D. saucer

6. Cosa vuol dire «**condire**»?
   A. to serve
   B. to stir
   C. to season
   D. to cover

7. Cosa vuol dire «**coltello**»?
   A. knife
   B. fork
   C. coffee cup
   D. salt

8. Che significa «**apparecchiare**»?
   A. to mix
   B. to clear
   C. to take
   D. to set

ESERCIZIO B

Leggere il dialogo e poi, scegliere le risposte corrette per completarlo.

(Read the dialogue and then, select the correct responses to complete it.)

Dalla zia

Gianna: Zia, a che ora pranziamo?

Zia: Alle due.

Gianna: (1) . . . la tavola adesso?

Zia: Certo. Non (2) . . . che anche i nonni mangiano con noi oggi.

Gianna: Allora abbiamo bisogno di otto (3) . . . .

Zia: Sì, Gianna. A proposito, usa (4) . . . nuova!

Gianna: Va bene. Dov'è?

Zia: È (5) . . . . È rossa e bianca.

Gianna: Metto anche (6) . . . sulla tavola?

Zia: Non ancora. Le prendiamo quando serviamo il caffè.

Gianna: Ottimo, zia. Oggi ci divertiamo un sacco.

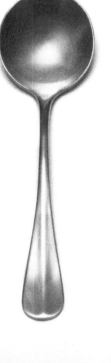

1. A. Sparecchio	B. Servo	C. Pulisco	D. Apparecchio
2. A. ascoltare	B. dimenticare	C. bere	D. condire
3. A. posate	B. tavole	C. tovaglie	D. bicchiere
4. A. la tovaglia	B. la forchetta	C. i cucchiai	D. i coltelli
5. A. nel letto	B. nel tovagliolo	C. nell'armadio	D. nel piattino
6. A. le tazzine	B. i piatti	C. il pepe	D. i tovaglioli

ESERCIZIO C

Lavorare insieme ad un compagno/una compagna. Fare e rispondere alle seguenti domande.

(Work together with a classmate. Ask and answer the following questions.)

1. Chi apparecchia la tavola a casa tua?

2. Con che cosa tagli la carne?

3. Usi un cucchiaio o un cucchiaino per mangiare la minestra?

4. Preferisci prendere/bere il caffè in una tazza o in una tazzina?

5. Cosa metti sul grembo (*lap*) prima di mangiare?

ESERCIZIO D

Scrivere una frase completa per ogni parola usando oggetti giusti per mangiare o per servire le seguenti cose.

(Write a complete sentence for each word using the correct objects to eat or to serve the following items.)

> **Esempio:** l'acqua minerale
> Uso **un bicchiere** quando bevo l'acqua minerale.

1. l'insalata

_____

2. il minestrone

_____

3. un contorno

_____

4. il caffellatte

_____

5. i funghi

_____

ESERCIZIO E

Scrivere frasi all'imperativo che contengono gli oggetti nell'immagine. Seguire l'esempio.

(Write sentences in the imperative that contain objects in the picture. Follow the example.)

Esempio: le posate/su *Metti le posate sulla tavola!*

1. il cucchiaio/a destra _____

2. il piatto/fra (o tra) _____

3. la forchetta/a sinistra _____

4. il piattino/sotto _____

5. i bicchieri/davanti a _____

6. il coltello/vicino a _____

Le Cinque Abilità

Ascolto, Lettura, Scrittura, Comunicazione, Cultura

🎧 Ascolto 1/Interpretive Mode

Ascoltare attentamente la conversazione due volte. Poi, rispondere alle 3 domande.

(Listen carefully to the conversation repeated twice. Then, answer the 3 questions.)

1. Cosa non vuole fare Giacomo stamattina?

A. fermarsi   C. pettinarsi

B. alzarsi   D. addormentarsi

2. Perché la madre di Giacomo si arrabbia?

A. Lui si sente contento.   C. Lui non vuole mangiare.

B. Lui si lava presto.   D. Lui non ha voglia di dormire.

3. Com'è il tono della voce della madre?

A. gradevole   C. calmo

B. gentile   D. serio

🎧 Ascolto 2/Interpretive Mode

Ascoltare attentamente ogni frase due volte. Poi, scrivere la lettera dell'immagine che corrisponde a ciascuna frase sulla linea.

(Listen carefully to each sentence repeated twice. Then, write the letter of the picture that corresponds to each sentence on the line.)

A   B   C   D   E

1. _____   2. _____   3. _____   4. _____   5. _____

Leggere attentamente il brano e poi, rispondere alle 3 domande.

(Read the passage carefully and then, answer the 3 questions.)

Andrea Illy

Andrea Illy

Andrea Illy è nato il 2 settembre 1964 a Trieste, nella regione Friuli-Venezia Giulia. Ha studiato in Svizzera e ha preso la laurea in chimica presso l'Università di Trieste. Ha poi frequentato la SDA Bocconi School of Management a Milano dove ha conseguito il Master Executive. È sposato e ha tre figlie.

All'età di ventisei anni, ha cominciato a lavorare alla Illycaffè, un'azienda fondata da suo nonno, Francesco Illy, nel 1933. Oggi, Andrea è il presidente e l'amministratore delegato dell'impresa. È riuscito a contribuire enormemente alla produzione e allo sviluppo della cultura del caffè anche dal punto di vista scientifico-tecnologico. Sotto la sua direzione il marchio Illycaffè viene distribuito in tutto il mondo ed è conosciuto per la sua eccellenza e per la sua altissima qualità.

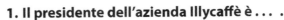

1. Il presidente dell'azienda Illycaffè è . . . .

A. Andrea Illy   C. Francesco Illy

B. Trieste   D. Giulia

2. Quanti anni aveva Andrea Illy quando ha iniziato il suo lavoro alla Illycaffè?

A. Aveva 33 anni.   C. Aveva 64 anni.

B. Aveva 26 anni.   D. Aveva 43 anni.

3. Cosa è riuscito a fare Andrea per l'azienda?

A. L'ha portata in Svizzera.   C. Ha elevato la sua qualità.

B. L'ha messa sui giornali.   D. Ha sviluppato un altro caffè.

Trieste

Scrittura/Interpretive Mode

Scrivere 10 frasi all'imperativo dando le istruzioni per preparare qualcosa. Per esempio: un aeroplano di carta, una ricetta, un panino al prosciutto e al formaggio, ecc.

(Write 10 sentences in the imperative giving instructions on how to prepare something. For example: a paper airplane, a recipe, a ham and cheese sandwich, etc.)

Comunicazione Orale/ Interpersonal Mode

ESERCIZIO A

Lavorare insieme ad un compagno/una compagna. Discutere di quali posate, piatti, cibo e bevande avete bisogno per preparare un pranzo italiano per dieci persone.

(Work together with a classmate. Discuss which table settings, courses, food and beverages you are going to need in order to prepare an Italian lunch for ten people.)

ESERCIZIO B

Fare una conversazione con un compagno/una compagna.

(Converse with a classmate.)

Ti fa una domanda: He/She asks you a question:	Studente 1: **Perché sei arrivato/sei arrivata in ritardo?**
Gli/Le rispondi: You answer him/her:	Studente 2:
Ti parla di un problema: He/She talks to you about a problem:	Studente 1: **Adesso non abbiamo tempo per finire tutto questo lavoro.**
Gli/Le chiedi perché e commenti: You ask him/her why and comment:	Studente 2:
Ti dà una spiegazione: He/She gives you an explanation:	Studente 1: **Secondo me dobbiamo lavorare anche durante il pranzo per finirlo.**

Merano • • Bressanone

• Bolzano
• Castelvecchio

Cortaccia •

Trento ★

Leggere e discutere le seguenti informazioni sul Trentino-Alto Adige e poi, completare gli esercizi.
(Read and discuss the following information about Trentino-Alto Adige and then, complete the exercises.)

1. È una regione montuosa, senza costa, nel nord d'Italia.

2. Il suo capoluogo è Trento.

3. La regione confina con l'Austria, la Svizzera, il Veneto e la Lombardia.

4. Gli abitanti del Trentino-Alto Adige si chiamano «trentini» e «altoatesini».

5. Grazie alle sue montagne, le Dolomiti, e ai suoi laghi, il Trentino-Alto Adige è una meta preferita da molti turisti.

6. Le due lingue ufficiali della regione sono l'italiano e il tedesco.

7. Nel settore agricolo sono sviluppate la coltivazione di mele e la produzione di vini come il *Pinot* e il *Cabernet*.

8. Alcune specialità della regione sono:

   - **i cajoncìe,** squisiti ravioli ripieni di patate, ricotta, spinaci e frutta secca

   - **l'orc,** una zuppa d'orzo

   - **lo speck,** la spalla disossata del maiale cruda trattata e affumicata

9. Altre città della regione sono Bolzano, Merano «la città dei fiori», Bressanone, Cortaccia e Castelvecchio.

10. Alcuni personaggi famosi del Trentino-Alto Adige sono:

    - Nanni Moretti (*regista*, 1953–)

    - Gloria Guida (*attrice*, 1955–)

lo speck

🌐 **www.regione.taa.it**

Trento

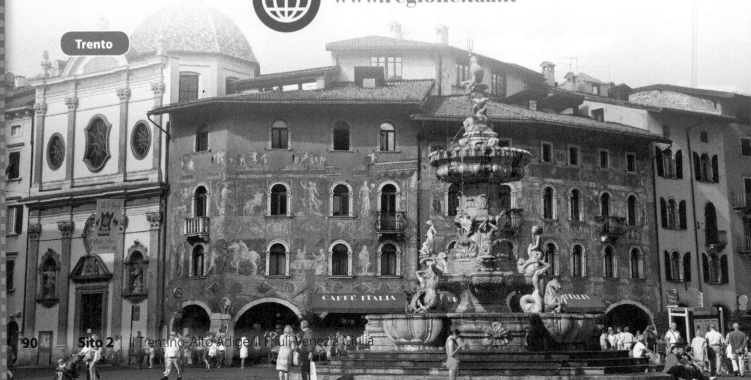

Leggere e discutere le seguenti informazioni sul Friuli-Venezia Giulia e poi, completare gli esercizi.

(Read and discuss the following information-Alton about Friuli-Venezia Giulia and then, complete the exercises.)

1. È una regione del nord.

2. Il suo capoluogo è Trieste.

3. La regione confina con l'Austria, la Slovenia, il Veneto e il Mar Adriatico.

4. Gli abitanti del Friuli-Venezia Giulia si chiamano «friulani» e «giuliani».

5. Nel settore agricolo, troviamo le verdure, la frutta, il formaggio, il prosciutto *San Daniele* e i vini di qualità.

6. Alcune specialità della regione sono:
   - **il frico**, un piatto a base di formaggio
   - **gli gnocchi agli spinaci**, una pasta di patate con spinaci

7. Altre città della regione sono Gorizia, Pordenone e Udine.

8. Alcuni personaggi famosi del Friuli-Venezia Giulia sono:
   - Italo Svevo (*scrittore*, 1861–1928)
   - Umberto Saba (*poeta*, 1883–1957)
   - Andrea Illy (*imprenditore*, 1964–)

 www.regione.fvg.it

Italo Svevo

il prosciutto *San Daniele*

gli gnocchi agli spinaci

ESERCIZIO A

Leggere attentamente le 10 frasi e poi, secondo le informazioni sulla cultura, scegliere *Vero* o *Falso*.

*(Read the 10 sentences carefully and then, according to the cultural information, select **True** or **False**.)*

Trento

Il Trentino-Alto Adige

1. Trento è il capoluogo del Trentino-Alto Adige.	Vero	Falso
2. Lo speck è un formaggio del Trentino-Alto Adige.	Vero	Falso
3. Questa regione è famosa per la produzione di pere.	Vero	Falso
4. Le Dolomiti sono bellissimi laghi.	Vero	Falso
5. Questa regione confina con il Mar Adriatico.	Vero	Falso
6. Questa regione non è famosa per i vini.	Vero	Falso
7. Gli abitanti parlano tedesco in questa regione.	Vero	Falso
8. Nanni Moretti è un regista italiano.	Vero	Falso
9. Il Trentino-Alto Adige è famoso per lo sci.	Vero	Falso
10. «La città dei fiori» è Merano.	Vero	Falso

ESERCIZIO B

Scegliere le risposte corrette. Fare una ricerca su Internet se necessario.

(Select the correct responses. Do Internet research if necessary.)

Udine

Il Friuli-Venezia Giulia

1. Udine è . . . del Friuli-Venezia Giulia.
   A. un poeta   B. uno scrittore   C. una città   D. un regista

2. Il prodotto *San Daniele* è . . . .
   A. un prosciutto B. una frutta   C. una verdura D. un formaggio

3. Il Friuli-Venezia Giulia è una regione . . . .
   A. insulare   B. centrale   C. meridionale D. settentrionale

4. Una specialità del Friuli-Venezia Giulia è . . . .
   A. *i cajoncìe*   B. *il frico*   C. *l'orc*   D. *lo speck*

5. Il Friuli-Venezia Giulia non confina con . . . .
   A. l'Austria   B. la Slovenia   C. la Francia   D. il Mar Adriatico

Sito Due: Vocabolario

aggettivi

distribuito - distributed

fondato - founded

montuoso - mountainous

puntuale - punctual

espressioni

a proposito - by the way

un sacco - a lot; a great deal

nomi/sostantivi

le posate - table settings (pagine 83 - 84, Indice 280)

l'amministratore delegato - chief executive officer (CEO)

l'azienda - company

il grembo - lap

l'imprenditore - business man

il marchio - brand

verbi

affittare - to rent

apparecchiare la tavola - to set the table

cliccare - to click

condire *(isc)* - to season

contribuire *(isc)* - to contribute

controllare - to check

coprire - to cover

elevare - to elevate; lift

girare - to turn; stir

invecchiarsi - to get old

mischiare - to mix; stir

sparecchiare - to clear the table

sviluppare - to develop

tagliare - to cut

venire al sodo - to get to the point

lo sci nelle Dolomiti

Sito 3
Le Marche

Ancona

Le Marche

Italia

Objectives:

- Form and utilize the imperfect tense.
- Differentiate the uses of the imperfect and present perfect tenses.
- Identify terms relating to nature and the environment.
- Locate and discuss characteristics of the region of le Marche.

Per chiacchierare:

- What is one childhood memory that you would like to share with your classmates?
- What aspect of nature or the environment interests you and why?
- Why is the le Marche region unique?

Discuss the proverb:

Ciccio non era nato e Giovanni si chiamava.

Don't cross your bridges before you reach them.

Imperfetto/Imperfect tense

The imperfect tense (*imperfetto*) is a past tense used to describe places, things, people, and repeated actions in the past. The translations of the imperfect tense are:

- was or were
- used to + action word
- was + "ing"
- were + "ing"

Examples:

The beach in Pescara **was** beautiful.	(description of beach - place)
The waves **were** enormous.	(description of waves - things)
They **used to speak** two languages.	(used to + action word)
I **was** dream**ing** while I **was** sleep**ing**.	(was + "ing")
You **were** driv**ing** while it **was** rain**ing**.	(were + "ing")

Pescara

To conjugate verbs in the imperfect tense, follow these three steps:

1) Drop the infinitive endings **-are**; **-ere**; or **-ire** in order to obtain the **verb stem**.

infiniti – infinitives	radici - stems
and**are**	**and** -
av**ere**	**av** -
cap**ire**	**cap**-

2) Identify the subject or subject pronoun.

3) Attach the appropriate **-are**, **-ere**, or **-ire** imperfect endings to the verb stem that correspond to the subject or subject pronoun.

Here are the endings for first, second, and third conjugation verbs in the imperfect tense:

soggetti	desinenze -are	desinenze -ere	desinenze -ire
io	**-avo**	**-evo**	**-ivo**
tu	**-avi**	**-evi**	**-ivi**
lui, lei, Lei	**-ava**	**-eva**	**-iva**
noi	**-avamo**	**-evamo**	**-ivamo**
voi	**-avate**	**-evate**	**-ivate**
loro	**-avano**	**-evano**	**-ivano**

le Marche

andare - *to go*	avere - *to have*	capire - *to understand*
io and**avo**	io av**evo**	io cap**ivo**
tu and**avi**	tu av**evi**	tu cap**ivi**
lui, lei, Lei and**ava**	lui, lei, Lei av**eva**	lui, lei, Lei cap**iva**
noi and**avamo**	noi av**evamo**	noi cap**ivamo**
voi and**avate**	voi av**evate**	voi cap**ivate**
loro and**avano**	loro av**evano**	loro cap**ivano**

Esempi:

- Noi **andavamo** al mare la domenica.
  *We **used to go** to the beach on Sundays.*

- Io **avevo** una giacca nera.
  *I **used to have** a black jacket.*

- Le nostre sorelle **capivano** il russo.
  *Our sisters **used to understand** Russian.*

Most verbs are regular in the imperfect tense. The most common irregular verbs are: **bere**, **dire**, **fare**, and **essere**.

bere - *to drink*	dire - *to say/tell*	fare - *to do/make*	essere - *to be*
bevevo	**dic**evo	**fac**evo	**ero**
bevevi	**dic**evi	**fac**evi	**eri**
beveva	**dic**eva	**fac**eva	**era**
bevevamo	**dic**evamo	**fac**evamo	**eravamo**
bevevate	**dic**evate	**fac**evate	**eravate**
bevevano	**dic**evano	**fac**evano	**erano**

Esempi:

- I bambini **bevevano** il succo d'arancia a colazione.
  *The children **used to drink** orange juice for breakfast.*

- Quando studiavo l'italiano, **dicevo** «buongiorno» alla professoressa.
  *When I used to study Italian, I **used to say** "good morning" to the teacher.*

- Che tempo **faceva** ad Ancona?
  *What **was** the weather like in Ancona?*

- Quando **eravamo** giovani, lavoravamo insieme.
  *When we **were** young, we used to work together.*

ATTENZIONE!

The two forms of the verb **piacere** (*to like*) in the imperfect tense are: **piaceva** (third person singular)/**piacevano** (third person plural).

ESERCIZIO A

Scegliere la forma corretta del verbo all'imperfetto.

(Select the correct form of the verb in the imperfect tense.)

1. Lo studente (**beveva/bevevo**) il cappuccino la mattina.

2. Il museo (**eri/era**) in Via Rossini.

3. Chi (**aveva/avevano**) gli appunti?

4. (**Faceva/Facevano**) caldo d'estate.

5. Noi (**compravate/compravamo**) le borse *Fendi* in Italia.

ESERCIZIO B

Scrivere la forma corretta del verbo all'imperfetto.

(Write the correct form of the verb in the imperfect tense.)

1. Gli zii (**giocare**) _____ a tennis il lunedì sera.

2. Il cameriere (**finire**) _____ di lavorare a mezzanotte.

3. Le dottoresse (**lavorare**) _____ in quell'ospedale.

4. Io e Carlo (**mettersi**) _____ i guanti quando
   (**fare**) _____ freddo.

5. Mia nonna (**tagliare**) _____ il pane per me e per mia sorella.

6. (**Dire**) _____ tu molte bugie quando (**essere**) _____
   piccolo?

7. Cosa (**bere**) _____ voi a pranzo?

le Marche

ESERCIZIO C

Riscrivere il brano dal presente all'imperfetto.
(Rewrite the passage from the present to the imperfect tense.)

Un mio giorno tipico

Ho dodici anni e frequento una scuola elementare vicino a casa mia. Sono uno studente molto bravo. Dopo la scuola, faccio sempre i compiti per almeno due ore. Quando finisco, mi piace guardare il mio programma preferito e, alle sette, ceno con tutta la mia famiglia. Durante la cena facciamo quattro chiacchiere. Prima di andare a letto, mi lavo i denti e mi metto il pigiama. Mi addormento verso le dieci.

_____

_____

_____

_____

_____

_____

_____

_____

_____

_____

ESERCIZIO D

Tradurre il brano all'imperfetto dell'Esercizio C in inglese.
(Translate the imperfect tense passage from Exercise C into English.)

A typical day of mine

_____

_____

_____

_____

_____

_____

_____

_____

la Repubblica di San Marino

Imperfetto o passato prossimo/
Imperfect tense or present perfect tense

1. The imperfect and the present perfect are two past tenses that can create some confusion for Italian language learners. Native speakers often choose the correct past tense based on the sound of the concept that is being expressed. As you pursue the study of the Italian language and culture, the usage of these two tenses will become easier.

Here are some simple guidelines to help differentiate between the two past tenses.

The imperfect tense is **ALWAYS** used with:

- **age**   Quando **avevo dieci anni**, abitavo nelle Marche.
  *When **I was ten years old**, I used to live in the Marche region.*

- **weather**   **C'era molto sole**, ma **faceva freddo** ad Ancona in inverno.
  ***It was very sunny**, but **it was cold** in Ancona in the winter.*

- **dates**   Il suo compleanno **era il primo maggio**.
  *Her birthday **was on May 1st**.*

- **time**   **Erano le undici/ventitré** quando sono andata a letto.
  ***It was 11 o'clock** when I went to bed.*

- **description**

  Le foglie **erano gialle, marroni, rosse, arancioni** e **verdi**.
  *The leaves **were yellow, brown, red, orange**, and **green**.*

  La spiaggia non **era molto affollata** in aprile.
  *The beach **was** not **very crowded** in April.*

Ancona

2. The imperfect tense is used when an action is repeated in the past and the present perfect is used when an action occurs once in the past and it is completed. Here are some key words that help differentiate between the imperfect tense and the present perfect tense.

Parole chiave per l'uso dell'imperfetto: (Key words for the use of the imperfect tense:)	Parole chiave per l'uso del passato prossimo: (Key words for the use of the present perfect tense:)
ogni giorno - *every/each day*	**ieri** - *yesterday*
ogni pomeriggio - *every/each afternoon*	**ieri mattina** - *yesterday morning*
ogni sera - *every/each evening; every/each night*	**ieri pomeriggio** - *yesterday afternoon*
ogni anno - *every/each year*	**ieri sera** - *last night*
di solito - *usually*	**cinque anni fa** - *five years ago*
sempre - *always*	**venti minuti fa** - *twenty minutes ago*
il lunedì - *on Mondays* (**il martedì** - *on Tuesdays;* **la domenica** - *on Sundays*)	**tre ore fa** - *three hours ago*
spesso - *often*	**trenta giorni fa** - *thirty days ago*
una volta alla settimana - *once a week*	**una settimana fa** - *a week ago*
qualche volta - *sometimes*	**undici mesi fa** - *eleven months ago*
frequentemente - *frequently*	**l'anno passato/scorso** - *last year*
mentre - *while*	**domenica passata/scorsa** - *last Sunday*
	stamattina - *this morning*

Macerata

⚠️ **ATTENZIONE!**

To express **"ago"** in Italian, use the period of time + fa

l'imperfetto	il passato prossimo
Mi alzavo alle sei **ogni mattina**. *I used to get up at 6:00 **every morning**.*	Mi sono alzato alle sei **ieri mattina**. *I got up at 6:00 **yesterday morning**.*
Visitavamo Urbino **sempre** in estate. *We **always** used to visit Urbino in the summer.*	Abbiamo visitato Urbino **tre anni fa**. *We visited Urbino **three years ago**.*
Parlavano con Giulio **spesso**. *They used to speak with Giulio **often**.*	Hanno parlato con Giulio **venti minuti fa**. *They spoke with Giulio **twenty minutes ago**.*
Uscivi **il lunedì**? *Did you used to go out **on Mondays**?*	Sei uscita **lunedì passato**? *Did you go out **last Monday**?*

 ## ESERCIZIO A

Passato prossimo o imperfetto? Scegliere la forma appropriata del verbo al passato prossimo o all'imperfetto.

(Present perfect tense or imperfect tense? Select the appropriate form of the verb in the present perfect tense or imperfect tense.)

1. Ieri pomeriggio (**sono caduto/cadevo**) mentre giocavo a calcio.

2. Stamattina i miei genitori (**hanno discusso/discutevano**) i miei voti.

3. Quando eravamo bambini, (**abbiamo guardato/guardavamo**) sempre i cartoni animati il sabato.

4. Annalisa (**partiva/è partita**) per Ancona mercoledì scorso.

5. Di solito, gli studenti (**hanno dimenticato/dimenticavano**) di fare i compiti.

ESERCIZIO B

Passato prossimo o imperfetto? Scrivere la forma corretta del verbo al passato prossimo o all'imperfetto secondo il significato della frase.

(Present perfect tense or imperfect tense? Write the correct form of the verb in the present perfect tense or the imperfect tense according to the meaning of the sentence.)

1. Quando andavo dalla nonna, lei mi (**offrire**) _____ spesso dei biscotti.

2. Mia sorella non (**rispondere**) _____ al telefono dieci minuti fa.

3. Di solito, chi (**pulire**) _____ il salotto?

4. Quanti romanzi (**leggere**) _____ voi ogni anno?

5. L'anno passato i nostri cugini (**studiare**) _____ ad Urbino.

ESERCIZIO C

Completare le seguenti frasi usando l'imperfetto o il passato prossimo secondo le parole chiave.

(Complete the following sentences using the imperfect tense or present perfect tense according to the key words.)

1. Mentre _____.

2. Ogni venerdì _____.

3. Un minuto fa _____.

4. Qualche volta _____.

5. L'estate scorsa _____.

ESERCIZIO D

Descrivere le seguenti immagini usando l'imperfetto o il passato prossimo. Usare una parola chiave diversa dalla pagina 101 in ogni frase.

(Describe the following pictures using the imperfect tense or the present perfect tense. Use a different key word from page 101 in each sentence.)

1. _____ 2. _____ 3. _____ 4. _____

5. _____ 6. _____ 7. _____ 8. _____

Urbino

🔤 Vocabolario sulla natura/Nature vocabulary

ESERCIZIO A

Lavorare con un compagno/una compagna. Leggere e imparare le seguenti parole utili sulla natura. Infine, completare l'esercizio.
(Work with a classmate. Read and learn the following useful nature terms. Then, complete the exercise.)

il mondo e la terra

le stelle

il mondo/la terra

la luna

la sabbia

il deserto

le pietre

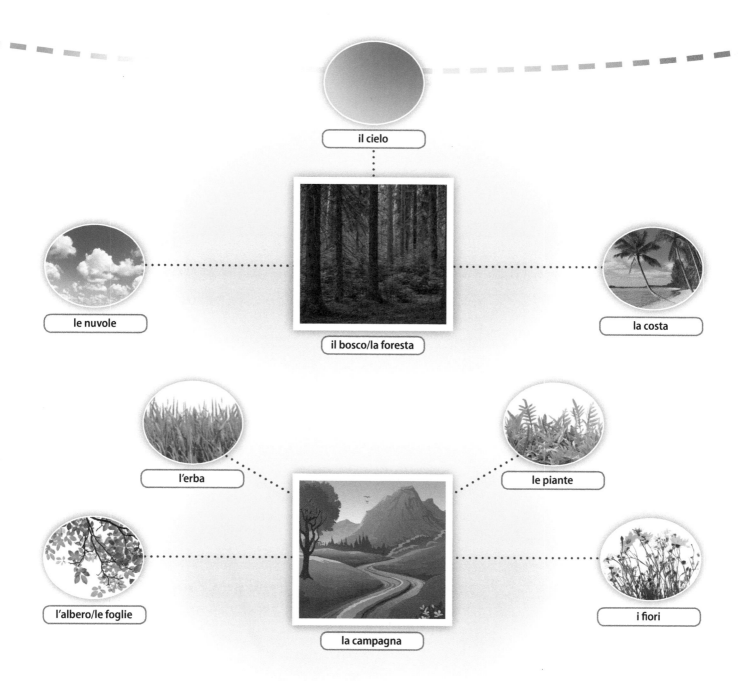

il cielo

le nuvole

la costa

il bosco/la foresta

l'erba

le piante

l'albero/le foglie

i fiori

la campagna

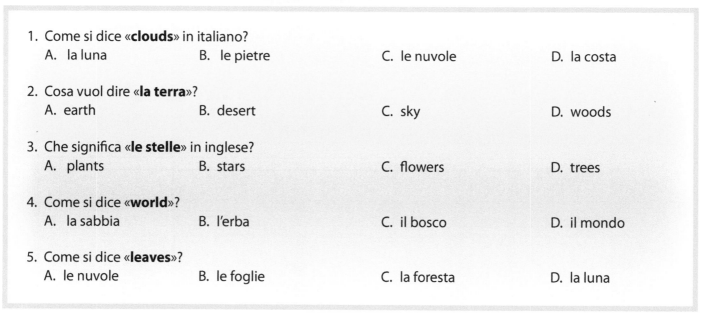

1. Come si dice «**clouds**» in italiano?
   A. la luna
   B. le pietre
   C. le nuvole
   D. la costa

2. Cosa vuol dire «**la terra**»?
   A. earth
   B. desert
   C. sky
   D. woods

3. Che significa «**le stelle**» in inglese?
   A. plants
   B. stars
   C. flowers
   D. trees

4. Come si dice «**world**»?
   A. la sabbia
   B. l'erba
   C. il bosco
   D. il mondo

5. Come si dice «**leaves**»?
   A. le nuvole
   B. le foglie
   C. la foresta
   D. la luna

Scegliere la parola che non appartiene alla categoria.

(Select the word that does not belong in each category.)

1. A. le nuvole	B. le stelle	C. la luna	D. la pietra
2. A. l'erba	B. la sabbia	C. gli alberi	D. le foglie
3. A. il deserto	B. il mondo	C. la terra	D. il cielo
4. A. la foresta	B. la luna	C. il bosco	D. la terra
5. A. il deserto	B. la campagna	C. la costa	D. i fiori

ESERCIZIO C

Completare ogni frase con una parola giusta dalla seguente lista.

(Complete each sentence with a correct word from the following list.)

sabbia   cielo   stelle   terra   luna   erba

1. Tipicamente il _____ è grigio quando piove.

2. La _____ è piena di piante verdi, fiori colorati e alberi alti.

3. Durante l'estate, non mi piace tagliare l'_____.

4. Ai bambini piace giocare con la _____ al mare.

5. La notte, amo guardare in cielo per vedere la _____ e
   le _____ brillanti.

ESERCIZIO D

Descrivere l'immagine scrivendo cinque frasi complete.

(Describe the picture by writing five complete sentences.)

1. _____

2. _____

3. _____

4. _____

5. _____

Le Cinque Abilità

Ascolto, Lettura, Scrittura, Comunicazione, Cultura

🎧 Ascolto 1/Interpretive Mode

Ascoltare attentamente la conversazione due volte. Poi, rispondere alle 3 domande.

(Listen carefully to the conversation repeated twice. Then, answer the 3 questions.)

Rimini

1. Quante volte ha visitato Rimini, Gina?
- A. undici volte
- B. sei volte
- C. una volta
- D. due volte

2. Quando è andata a Rimini, Gina?
- A. quando era giovane
- B. quando si è diplomata
- C. quando aveva cinque anni
- D. quando si è svegliata

3. Cosa faceva la sera?
- A. Mangiava il pesce.
- B. Contava le stelle.
- C. Si divertiva.
- D. Si arrabbiava.

🎧 Ascolto 2/Interpretive Mode

Ascoltare attentamente ogni frase due volte. Poi, scrivere la lettera dell'immagine che corrisponde a ciascuna frase sulla linea.

(Listen carefully to each sentence repeated twice. Then, write the letter of the picture that corresponds to each sentence on the line.)

A

B

C

D

E

1. _____ 2. _____ 3. _____ 4. _____ 5. _____

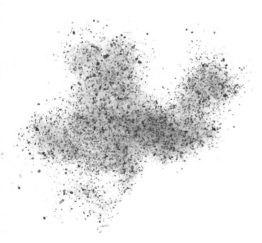

Valentino Rossi

Lettura/Interpretive Mode

Leggere attentamente il brano e poi, rispondere alle 5 domande.

(Read the passage carefully and then, answer the 5 questions.)

Valentino Rossi

Valentino Rossi, conosciuto anche come «The Doctor», è un motociclista italiano, più volte campione del mondo. È nato il 16 febbraio 1979 ad Urbino, una città nelle Marche. Rossi ha ottenuto moltissime vittorie in Italia e dappertutto nel mondo, nel campo del motociclismo. La sua passione e il suo amore per lo sport gli sono stati trasmessi da suo padre, Graziano Rossi, anche lui motociclista. Il figlio, come il padre, porta sempre il numero 46 nelle sue gare. Nella sua prima competizione corre per Aprilia, nella categoria 125 nell'anno 1996. L'anno dopo, nel 1997, diventa campione del mondo. Negli anni 1998 e 1999 compete per Aprilia nella categoria 250, e anche in questa categoria diventa campione del mondo. Nel 2000, Rossi gareggia nella categoria 500 e arriva al secondo posto. Valentino Rossi ama le competizioni, specialmente con il suo rivale italiano, Max Biaggi.

1. Qual è il significato del numero quarantasei?
  A. l'età di Valentino Rossi   C. il numero di corsa di Rossi
  B. le competizioni che ha vinto   D. la categoria del ciclismo

2. In che anno diventa campione del mondo per la prima volta Valentino Rossi?
  A. nel millenovecentonovantasette C. nel millenovecentonovantasei
  B. nel millenovecentosettantanove D. nel millenovecentonovantotto

3. Con quale soprannome è conosciuto?
  A. motociclista   C. campione
  B. rivale   D. dottore

4. Quanti anni aveva quando è passato nella categoria 500?
  A. 21 anni   C. 18 anni
  B. 30 anni   D. 19 anni

5. Per quale squadra corre nel 1999?
  A. Urbino   C. Graziano
  B. Aprilia   D. Biaggi

 ## Scrittura/Interpretive Mode

Leggere il tema e poi scrivere un paragrafo di almeno 10 frasi usando l'imperfetto. Utilizzare almeno 5 dei seguenti aggettivi: bugiardo, spiritoso, diligente, impaziente, geloso, malato, attivo, pigro, generoso o carino.

(Read the topic and then write a paragraph of at least 10 sentences using the imperfect tense. Use at least 5 of the following adjectives: liar, funny, industrious, impatient, jealous, sick, active, lazy, generous, or cute.)

Tema: Com'eri da bambino/da bambina?

Comunicazione Orale/ Interpersonal Mode

ESERCIZIO A

Lavorare insieme ad un compagno/una compagna e parlare degli insegnanti, dei compagni di scuola, delle classi e delle attività durante la scuola elementare.

(Work together with a classmate and talk about teachers, classmates, classes, and activities during elementary school.)

ESERCIZIO B

Lavorare insieme ad un compagno/una compagna. Leggere e commentare le cinque frasi usando le espressioni contenute nella tabella. Ognuno legge e commenta ogni frase.

(Work together with a classmate. Read and comment on the five sentences using the expressions in the chart. Each person reads and comments on each statement.)

Sono d'accordo perché . . . I agree because . . .
È vero perché . . . It's true because . . .
Hai ragione perché . . . You are right because . . .
Non sono d'accordo perché . . . I disagree because . . .
Non è vero perché . . . It's not true because . . .
Ti sbagli perché . . . You are wrong because . . .

1. Quando avevi cinque anni mangiavi gli spinaci.

2. Il sabato ti svegliavi sempre a mezzogiorno.

3. Nella tua camera da letto c'era un frigorifero.

4. Ieri sera hai contato le stelle nel cielo.

5. Stamattina sei andato/sei andata in palestra.

le Marche

Leggere e discutere le seguenti informazioni sulle Marche e poi, completare gli esercizi.

(Read and discuss the following information about le Marche and then, complete the exercises.)

1. Le Marche sono una regione che si trova nell'Italia centrale al confine con l'Emilia Romagna, la Repubblica di San Marino, la Toscana, l'Umbria, l'Abruzzo, il Lazio e il Mar Adriatico.

2. Il capoluogo è Ancona, una città sul Mar Adriatico e uno dei maggiori porti italiani.

3. Gli abitanti delle Marche sono «marchigiani».

4. Le Marche sono una delle regioni più collinose d'Italia (il 69% del territorio).

5. Dentro la regione delle Marche si trova la Repubblica di San Marino, il secondo stato indipendente in Italia. La capitale è la Città di San Marino. La lingua ufficiale è l'italiano. Gli abitanti sono chiamati «sammarinesi».

6. Alcuni piatti marchigiani ben noti sono:
   - **il brodetto,** una deliziosa zuppa con un'ampia scelta di pesce dell'Adriatico come molluschi, seppia, pannocchia, pesce azzurro fritto nell'olio, nell'aglio e bollito nel pomodoro e servito con pane tostato o fritto
   - **la caciotta,** un formaggio morbido affumicato prodotto in provincia di Pesaro
   - **le olive all'ascolana**, olive ripiene di carne macinata impanate e poi fritte nell'olio caldo
   - **il frustingolo**, un tipico dolce fatto di uvetta, fichi secchi, noci, mandorle e cioccolato amaro. I dolci delle Marche sono a base di frutta secca e mandorle.

7. Due fra i vini più prelibati sono il *Vernaccia di Serrapetrona* e il *Conero*.

8. Alcune città della regione sono:
   - **Ascoli Piceno**, conosciuta per la sua ricchezza artistica e architettonica, è chiamata la *Città delle cento torri*
   - **Pesaro**, un centro industriale situato tra due colline e la seconda città per popolazione dopo il capoluogo Ancona
   - **Urbino**, uno dei centri più importanti del rinascimento italiano
   - **Macerata**, famosa per il Museo delle Carrozze

9. Alcuni personaggi famosi delle Marche sono:
   - Raffaello Sanzio (*artista, 1483–1520*)
   - Gioacchino Rossini (*compositore, 1792–1868*)
   - Giacomo Leopardi (*scrittore, 1798–1837*)
   - Valentino Rossi (*motociclista, 1979–*)

il brodetto

Raffaello Sanzio

www.regione.lemarche.it

ESERCIZIO A

Leggere attentamente le 10 frasi e poi, secondo le informazioni sulla cultura, scegliere *Vero* o *Falso*.

*(Read the 10 sentences carefully and then, according to the cultural information, select **True** or **False**.)*

1. Urbino è il capoluogo delle Marche.   Vero   Falso
2. La *Caciotta* è un vino delle Marche.   Vero   Falso
3. Questa regione è famosa per la produzione di olive.   Vero   Falso
4. Le mandorle sono la base di molti dolci marchigiani.   Vero   Falso
5. Questa regione confina con il Mar Ionio.   Vero   Falso
6. Il *Vernaccia* e il *Conero* sono due formaggi famosi.   Vero   Falso
7. L'artista Gioacchino Rossini è nato nelle Marche.   Vero   Falso
8. Valentino Rossi è un motociclista italiano.   Vero   Falso
9. Le Marche sono famose per le colline.   Vero   Falso
10. Il *brodetto* è un delizioso piatto di carne.   Vero   Falso

le olive all'ascolana

ESERCIZIO B

Scegliere le risposte corrette. Fare una ricerca su Internet se necessario.

(Select the correct responses. Do Internet research if necessary.)

1. Macerata è . . . delle Marche.
A. un poeta   B. uno scrittore   C. una città   D. un regista

2. Le olive all'ascolana sono . . . .
A. un primo   B. un secondo   C. un contorno   D. un antipasto

3. Le Marche sono una regione . . . .
A. insulare   B. centrale   C. meridionale   D. settentrionale

4. Una specialità delle Marche è . . . .
A. *il frustingolo*   B. *il frico*   C. *l'orc*   D. *lo speck*

5. La regione delle Marche confina con . . . .
A. il Mar Ligure   B. il Mar Tirreno   C. il Mar Adriatico   D. il Mar Mediterraneo

6. La lingua ufficiale della Repubblica di San Marino è . . . .
A. il marchigiano   B. il sammarinese   C. la vernaccia   D. l'italiano

Ancona

la caciotta

aggettivi

attivo - active

bugiardo - liar

carino - cute

chiaro - clear

diligente - industrious

enorme - enormous; huge

fino - fine; thin

geloso - jealous

generoso - generous

malato - sick

ottenuto - obtained; received

pigro - lazy

prelibato - exquisite; excellent

spiritoso - funny

nomi/sostantivi

la natura - nature (pagine 104-105, Indice 278)

il campione - champion

la competizione - competition; race

la gara - competition; race

il rivale - rival

la vittoria - victory

verbi

causare - to cause

competere - to compete

contare - to count

diminuire *(isc)* - to diminish; lessen

dire una bugia - to lie

fare quattro chiacchiere - to chat

gareggiare - to compete

ottenere - to get; obtain

risparmiare - to save

Ascoli-Piceno

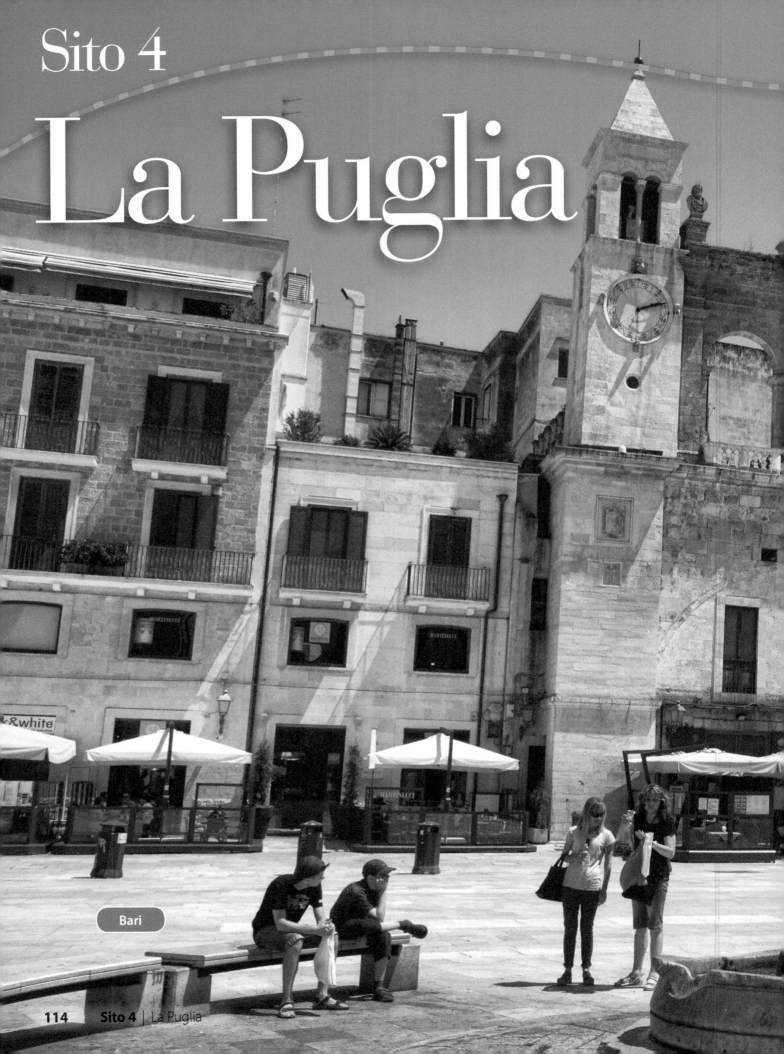

Sito 4
La Puglia

Bari

La Puglia

Italia

Objectives:

- Identify terms relating to technology.
- Utilize the verb "to like"; "to be pleasing" *(piacere)* in the present and present perfect tenses.
- Recognize and utilize indirect object pronouns.
- Form comparisons of equality.
- Form the comparative and superlative degrees.
- Locate and discuss characteristics of the region of Puglia.

Per chiacchierare:

- What would your life be like without social media?
- Who is the most important person in your life? Why?
- What is the characteristic shape of the Puglia region?

Discuss the proverb:

Nessuno ti dice lavati il viso per sembrare più bello di me.

Do your own thing well.

[A-Z] Vocabolario sulla tecnologia/Technology vocabulary

ESERCIZIO A

Lavorare con un compagno/una compagna. Leggere e imparare le seguenti parole utili sulla tecnologia. Infine, completare l'esercizio.

(Work with a classmate. Read and learn the following useful technology terms. Then, complete the exercise.)

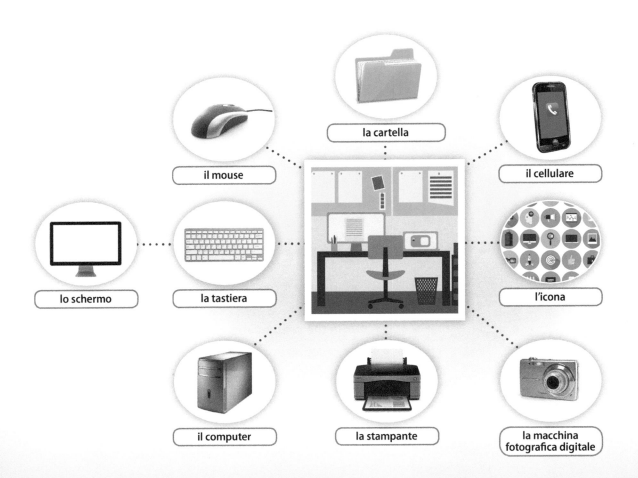

il mouse

la cartella

il cellulare

lo schermo

la tastiera

l'icona

il computer

la stampante

la macchina fotografica digitale

Otranto

nomi/sostantivi:	verbi:
la cartella - *folder*	**accendere** - *to turn on; put on*
il cellulare - *cell phone*	**cancellare** - *to delete; cancel*
il computer - *computer*	**chiudere** - *to sign out; close*
l'icona - *icon*	**cliccare** - *to click*
la linea - *line*	**essere connesso** - *to be connected*
la macchina fotografica digitale - *digital camera*	**essere in linea** - *to be online*
il messaggio - *text*	**mandare un messaggio** - *to send a text*
il mouse - *mouse*	**messaggiare** - *to text*
il navigatore - *browser*	**navigare in rete** - *to surf the web*
la password - *password*	**riavviare** - *to restart*
la rete - *Internet*	**salvare** - *to save*
lo schermo - *screen*	**scaricare** - *to download*
lo squillo - *ring; sound*	**scattare/fare una foto** - *to take a picture/photo*
la stampante - *printer*	**scrivere a macchina** - *to type*
la tastiera - *keyboard*	***spegnere** - *to turn off*
	squillare - *to ring*
	stampare - *to print*

⚠ ATTENZIONE!

The verb *spegnere is irregular in the io and loro forms.

spengo	spegniamo
spegni	spegnete
spegne	**spengono**

1. Come si dice «**printer**» in italiano?
   A. lo schermo
   B. il messaggio
   C. la stampante
   D. la tastiera

2. Cosa vuol dire «**squillare**»?
   A. to ring
   B. to download
   C. to text
   D. to save

3. Che significa «**il navigatore**» in inglese?
   A. icon
   B. password
   C. screen
   D. browser

4. Come si dice «**to restart**»?
   A. spegnere
   B. riavviare
   C. scattare
   D. chiudere

5. Come si dice «**to delete**»?
   A. scaricare
   B. cancellare
   C. messaggiare
   D. stampare

ESERCIZIO B

Scrivere 5 frasi complete in italiano usando le seguenti immagini.

(Write 5 complete sentences in Italian using the following pictures.)

Gallipoli

1.  _____

2.  _____

3.  _____

4.  _____

5. _____

Caratteristiche:

✓ Sistema Operativo: 4.4

✓ Pollici: 5

✓ Risoluzione: 1280 X 720

✓ WIFI

✓ Fotocamera

✓ Processore: 1.2 Ghz/
1 GB di RAM/
Memoria: 8GB

✓ Dimensioni: 135 X 65 X 10 mm

✓ Peso: 140 grammi

Acquista

189,99€

Presente del verbo «piacere»/
Present tense of the verb "to like"; "to be pleasing"

- The verb "to like"; "to be pleasing" (*piacere*) is commonly used with indirect object pronouns (*mi, ti, gli, le, Le, ci, vi, gli*).

- It typically has 2 forms in all tenses in Italian: the third person singular and the third person plural.

- In the present tense, the 2 forms are **piace** and **piacciono**.

- **Piace**, the third person singular, is used with a singular noun or an infinitive, **Piacciono**, the third person plural, is used with plural nouns.

Esempi:

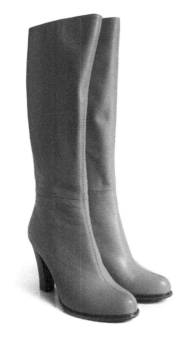

The verb "to like" used with singular nouns and/or infinitives.	The verb "to like" used with plural nouns.
Mi piace l'acqua minerale. *I like mineral water.*	**Mi piacciono** gli spaghetti. *I like spaghetti.*
Ti piace la maglia grigia? (*informale singolare*) *Do you like the gray sweater?*	**Ti piacciono** quei guanti marroni. (*informale singolare*) *You like those brown gloves.*
Gli piace l'uva verde? *Does he like (the) green grapes?*	**Non gli piacciono** le fragole. *He does not like strawberries.*
Non le piace la classe d'inglese. *She does not like the English class.*	**Le piacciono** i film. *She likes movies/films.*
Le piace portare il cappello blu. (*formale singolare*) *You like to wear the blue hat.*	**Le piacciono** gli stivali alti. (*formale singolare*) *You like the high boots.*
Non ci piace cantare quella canzone. *We do not like to sing that song.*	**Ci piacciono** le foto della Puglia. *We like the pictures of Puglia.*
Vi piace l'impermeabile giallo? (*informale plurale*) *Do you like the yellow raincoat?*	**Vi piacciono** le cravatte rosse? (*informale plurale*) *Do you like the red ties?*
Gli piace il pesce. *They like fish.*	**Non gli piacciono** le vongole. *They do not like clams.*

- When the verb *piacere* is used with a proper name, the preposition **"a"** and the person's name is used. The indirect object pronoun is omitted.

> **Esempi:** **A Francesca** piacciono le pere gialle.
> *Francesca likes yellow pears.*
>
> **A Mauro** e **a Lino** piace correre.
> *Mauro and Lino like to run.*

- When the verb *piacere* is used with a noun, the preposition **"a"** is contracted with the definite article and is placed before the noun. The indirect object pronoun is omitted.

> **Esempi:** **Alla sua amica** piacciono le mele. *(a + la)*
> *Her friend likes apples.*
>
> **Ai nostri nonni** piace fare molte foto. *(a + i)*
> *Our grandparents like to take many pictures.*

- In a negative sentence, **NON** precedes the indirect object pronoun.

> **Esempi:** **Non** ci piace fare la valigia.
> *We don't like to pack.*
>
> Perché **non** vi piacciono le foto?
> *Why don't you like the pictures?*

- In a negative sentence with a proper name or a noun, **NON** precedes **piace** or **piacciono**.

> **Esempi:** **Ad Angelo non** piacciono gli spinaci.
> *Angelo does not like spinach.*
>
> **Allo studente non** piace la sua password. *(a + lo)*
> *The student does not like his password.*

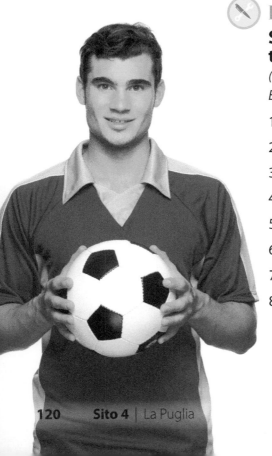

ESERCIZIO A

Scegliere la forma corretta del verbo «piacere» e poi, tradurre le frasi in inglese.

(Select the correct form of the verb "to like" and then, translate the sentences into English.)

1. (**Gli piace/Gli piacciono**) la neve. _____

2. (**Mi piace/Mi piacciono**) la famiglia di Angelina. _____

3. (**Non ci piace/Non ci piacciono**) i piselli. _____

4. Non (**ti piace/ti piacciono**) la partita di calcio? _____

5. (**Le piace/Le piacciono**) andare al mare. _____

6. (**Vi piace/Vi piacciono**) le carote. _____

7. Non (**vi piace/vi piacciono**) lavorare il mercoledì? _____

8. (**Ci piace/Ci piacciono**) fare le spese. _____

 ## ESERCIZIO B

Completare le seguenti frasi in modo creativo.
(Complete the following sentences in a creative way.)

1. A Lidia piacciono _____.
2. Non mi piace _____.
3. Vi piace _____?
4. Agli studenti piacciono _____.
5. Non ti piace _____?

 ## ESERCIZIO C

Lavorare con un compagno/una compagna. Fare e rispondere alle seguenti domande.
(Work with a classmate. Ask and answer the following questions.)

1. Cosa ti piace fare durante l'estate?
2. Dove ti piace andare in vacanza? Perché?
3. Quali scarpe da tennis ti piacciono?
4. Quale secondo non ti piace?
5. Ti piacciono gli asparagi, i fagiolini, i broccoli o le zucchine?
6. Ti piace l'aragosta?

Gallipoli

Passato prossimo di «piacere»/
Present perfect tense of "to like"; "to be pleasing"

In the present perfect tense (*passato prossimo*), the third person singular of the verb "to like"; "to be pleasing" (*piacere*) is **è piaciuto/è piaciuta** and the third person plural is **sono piaciuti/sono piaciute**.

- **È piaciuto** is used when the noun liked is masculine singular or an infinitive.
- **È piaciuta** is used when the noun liked is feminine singular.
- **Sono piaciuti** is used when the nouns liked are masculine plural or a combination masculine and feminine.
- **Sono piaciute** is used when the nouns liked are feminine plural.

Esempi:

The verb "to like" used with masculine or feminine singular nouns or infinitives.	*The verb "to like" used with masculine or feminine plural nouns.*
Mi è piaciuta l'acqua minerale. ***I liked** the mineral water.* (mineral water is a feminine singular noun)	**Mi sono piaciuti** gli spaghetti. ***I liked** the spaghetti.* (spaghetti is a masculine plural noun)
Ti è piaciuta la maglia grigia? (*informale singolare*) ***Did you like** the gray sweater?*	**Ti sono piaciuti** quei guanti marroni. (*informale singolare*) ***You liked** those brown gloves.*
Gli è piaciuta l'uva verde? ***Did he like** the green grapes?*	Non **gli sono piaciute** le fragole. ***He did** not **like** the strawberries.* (strawberries is a feminine plural noun)
Non **le è piaciuta** la classe d'inglese. ***She did** not **like** the English class.*	**Le sono piaciuti** i film. ***She liked** the movies/films.*
Le è piaciuto portare il cappello blu. (*formale singolare*) ***You liked** to wear the blue hat.* (to wear is an infinitive)	**Le sono piaciuti** gli stivali alti. (*formale singolare*) ***You liked** the high boots.*
Non **ci è piaciuto** cantare quella canzone. ***We did** not like to sing that song.*	**Ci sono piaciute** le foto della Puglia. ***We liked** the pictures of Puglia.*
Vi è piaciuto l'impermeabile giallo? (*informale plurale*) ***Did you like** the yellow raincoat?* (raincoat is a masculine singular noun)	**Vi sono piaciute** le cravatte rosse? (*informale plurale*) ***Did you like** the red ties?*
Gli è piaciuto il pesce. ***They liked** fish.*	Non **gli sono piaciute** le vongole. ***They did** not **like** the clams.*

⚠ **ATTENZIONE!**

The past participles of the verb "to like"/"to be pleasing" (*piaciuto, piaciuta, piaciuti, piaciute*) must agree with the noun or nouns liked and not with the indirect object!

- When the verb *piacere* is used with a proper name, the preposition **"a"** and the person's name is used. The indirect object pronoun is omitted.

> **Esempi:** **A Francesca** sono piaciute le pere gialle.
> *Francesca liked the yellow pears.*
>
> **A Mauro** e **a Lino** è piaciuto correre.
> *Mauro and Lino liked/enjoyed running.*

- When the verb *piacere* is used with a noun, the preposition **"a"** is contracted with the definite article and is placed before the noun. The indirect object pronoun is omitted.

> **Esempi:** **Alla sua amica** sono piaciute le mele. (*a + la*)
> *Her friend liked the apples.*
>
> **Ai nostri nonni** è piaciuto fare molte foto. (*a + i*)
> *Our grandparents liked/enjoyed taking many pictures.*

- In a negative sentence, **NON** precedes the indirect object pronoun.

> **Esempi:** **Non** ci è piaciuto fare la valigia.
> *We **did not** like to pack.*
>
> Perché **non** vi sono piaciute le foto?
> *Why **did** you **not** like the pictures?*

- In a negative sentence with a proper name or a noun, **NON** precedes **è piaciuto/è piaciuta** or **sono piaciuti/sono piaciute**.

> **Esempi:** **Ad Angelo non** sono piaciuti gli spinaci.
> *Angelo **did not** like the spinach.*
>
> **Allo studente non** è piaciuta la sua password. (*a + lo*)
> *The student **did not** like his password.*

ESERCIZIO A

Scegliere la forma corretta del verbo «piacere» e poi, tradurre le frasi in inglese.

Select the correct form of the verb "to like" and then, translate the sentences into English.)

1. (**Gli è piaciuto/ Gli è piaciuta**) la neve. _____
2. (**Mi è piaciuta/ Mi è piaciuto**) la famiglia di Angelina. _____
3. (**Ci sono piaciuti/ Ci sono piaciute**) i piselli. _____
4. Non (**ti è piaciuto/ ti è piaciuta**) la partita di calcio? _____
5. (**Le è piaciuto/ Le è piaciuta**) andare al mare. _____
6. (**Vi sono piaciuti/ Vi sono piaciute**) le carote. _____
7. Non (**vi è piaciuta/ vi è piaciuto**) il ballo? _____
8. (**Ci è piaciuto/ Ci è piaciuta**) fare le spese. _____

Alberobello

 **ESERCIZIO B**

Completare le seguenti frasi in modo creativo.
(Complete the following sentences in a creative way.)

1. A Lidia è piaciuto _____.

2. Non mi è piaciuta _____.

3. Vi è piaciuto _____?

4. Agli studenti sono piaciuti _____.

5. Non ti sono piaciute _____?

 ESERCIZIO C

Lavorare con un compagno/una compagna. Fare e rispondere alle seguenti domande.
(Work with a classmate. Ask and answer the following questions.)

1. Cosa ti è piaciuto fare durante l'estate?

2. Dove ti è piaciuto andare in vacanza? Perché?

3. Quali scarpe da tennis ti sono piaciute?

4. Quale secondo non ti è piaciuto?

5. Ti sono piaciuti gli asparagi, i fagiolini, i broccoli o le zucchine?

6. Ti è piaciuta l'aragosta?

Pronomi di oggetto indiretto/
Indirect object pronouns

1. An indirect object usually answers the questions **to whom?** the action is directed or **for whom?** the action is performed. Indirect objects are typically pronouns, nouns, or noun phrases that name the recipient of the direct object.

   Esempi:
   She made pizza **for Santo**.
   *(for whom did she make pizza? **for Santo** is the indirect object noun)*
   She made pizza **for him**.
   *(for whom did she make pizza? **for him** is the indirect object pronoun)*

Lei ha fatto la pizza **per Santo**.	*She made pizza **for Santo**.*
Lei **gli** ha fatto la pizza.	*She made pizza **for him**.*

   I prepared lasagna **for Maria**.
   *(for whom did I prepare the lasagna? **for Maria** is the indirect object noun)*
   I prepared lasagna **for her**.
   *(for whom did I prepare the lasagna? **for her** is the indirect object pronoun)*

Io ho preparato le lasagne **per Maria**.	*I prepared lasagna **for Maria**.*
Io **le** ho preparato le lasagne.	*I prepared lasagna **for her**.*

He teaches the verbs **to the students**.
*(to whom does he teach the verbs? **to the students** is the indirect object noun)*
He teaches the verbs **to them**.
*(to whom does he teach the verbs? **to them** is the indirect object pronoun)*

Lui insegna i verbi **agli studenti**.　　*He teaches the verbs **to the students**.*

Lui **gli** insegna i verbi.　　*He teaches the verbs **to them**.*

2. Here are the indirect object pronouns in Italian and in English:

mi - *to me/for me*	**ci** - *to us/for us*
ti - *to you/for you* (*informale singolare*)	**vi** - *to you/ for you* (*formale/informale plurale*)
gli - *to him/for him*	**gli** - *to them/for them*
le - *to her/for her*	
Le - *to you/for you* (*formale singolare*)	

3. Indirect object pronouns are commonly used with the following verbs:

1. **chiedere** - *to ask for*	8. **preparare** - *to prepare*
2. **dare** - *to give*	9. **prestare** - *to lend*
3. **dire** - *to say; tell*	10. **rispondere (a)** - *to answer; reply; respond*
4. **insegnare** - *to teach*	11. **scrivere** - *to write*
5. **offrire** - *to offer*	12. **spiegare** - *to explain*
6. **parlare** - *to speak; talk*	13. **telefonare (a)** - *to telephone*
7. **portare** - *to bring*	

4. When the verbs **dovere** (*to have to, must*); **potere** (*to be able, can*); or **volere** (*to want, wish, desire*) are followed by a verb infinitive, there are two options for pronoun placement:

- place the indirect object pronoun before the conjugated verb
- drop the final –e of the infinitive and then attach the indirect object pronoun to the infinitive

Esempi:
I miei genitori non **mi** vogliono prestare la macchina.
I miei genitori non vogliono prestar**mi** la macchina.
*My parents do not want to lend **me** the car.*

Voi **ci** dovete rispondere sempre in italiano!
Voi dovete risponder**ci** sempre in italiano!
*You always have to answer **us** in Italian!*

ATTENZIONE!

In Italian indirect object pronouns are usually placed before the verb. In English they are placed after the verb!

Sant'Agata di Puglia

ESERCIZIO A

Lavorare insieme ad un compagno/una compagna. Imparare a memoria il seguente dialogo e poi, presentarlo alla classe.

(Work together with a classmate. Memorize the following dialogue and then, present it to the class.)

Papà: Gina, domani è il compleanno di tuo fratello. Cosa gli hai comprato?

Gina: Gli ho comprato una maglietta sportiva della Juventus.

Papà: Fantastico, Gina! Gli piace molto quella squadra.

Gina: Papà, tu e mamma, cosa gli regalate?

Papà: Abbiamo deciso di dargli i soldi e, naturalmente la tua mamma gli prepara una bella torta.

ESERCIZIO B

Riscrivere le seguenti frasi usando i pronomi di oggetto indiretto al posto delle preposizioni con i nomi.

(Rewrite the following sentences using indirect object pronouns instead of the prepositions and nouns.)

1. I professori hanno spiegato la lezione alle studentesse.

   _____

2. Io telefonavo ad Angela ogni sera alle otto.

   _____

3. Voi avete offerto un cappuccino ai signori.

   _____

4. Tu dicevi la verità a Mario.

   _____

5. Io e Giuseppe non possiamo prestare i soldi agli amici.

   _____

Festa di Compleanno
per Gianni

sabato primo agosto
alle ore 18,00
via Lazio, 10 - Roma
numero di telefono: 1234567890

Buon compleanno!

Si prega di rispondere entro il 26 luglio.

il capocollo

 ESERCIZIO C

Lavorare con un compagno/una compagna. Fare e rispondere alle seguenti domande usando i pronomi di oggetto indiretto.

(Work with a classmate. Ask and answer the following questions using indirect object pronouns.)

1. Chi ti chiedeva sempre un passaggio?

2. Perché hai dato un regalo a tua cugina?

3. Che cosa vi ha detto la nonna ieri sera?

4. Perché il capitano della squadra spiega le regole ai giocatori?

5. Dove hai comprato il capocollo pugliese per i tuoi parenti?

 ESERCIZIO D

Scrivere frasi originali in italiano al presente, al passato prossimo o all'imperfetto prima con i nomi di oggetto indiretto e poi, con i pronomi di oggetto indiretto. Seguire l'esempio.

(Write original sentences in Italian in the present, present perfect or imperfect tenses first with indirect object nouns and then, with indirect object pronouns. Follow the example.)

*La mamma faceva il pane **per i suoi figli**.*

*La mamma **gli** faceva il pane.*

1. _____
   _____

2. _____
   _____

3. _____
   _____

4. _____
   _____

✎ Comparativi/Comparisons

Comparisons are used to show equality or differences between two or more nouns. Adjectives are used to form comparisons and the adjectives must agree with the subject in gender and number as do all other adjectives.

There are 3 types of comparisons:

- comparison of equality (*la comparazione di uguaglianza*)
- comparative (*il comparativo*)
- superlative (*il superlativo*)

1. la comparazione di uguaglianza

For comparisons of equality in English we use **as** + adjective + **as**.

The moon is **as** beautiful **as** the stars.

(The) Meat is **as** delicious **as** (the) fish.

(The) Trucks are **as** fast **as** (the) cars.

In Italian, there are four ways to express **as** + adjective + **as**:

- **tanto** + adjective + **quanto**
- adjective + **quanto**

> **Esempio:** *Puglia is **as** beautiful **as** Basilicata.*
> La Puglia è **tanto** bella **quanto** la Basilicata.
> La Puglia è bella **quanto** la Basilicata.

- **così** + adjective + **come**
- adjective + **come**

> **Esempio:** *Puglia is **as** beautiful **as** Basilicata.*
> La Puglia è **così** bella **come** la Basilicata.
> La Puglia è bella **come** la Basilicata.

✎ ESERCIZIO A

Scrivere frasi complete usando la comparazione di uguaglianza, 3 frasi con «(tanto) . . . quanto» e 3 frasi con «(così) . . . come».

(Write complete sentences using the comparison of equality, 3 with the first "as .. as" and 3 with the second "as ... as".)

1. Le Alpi/gli Appennini (**alto**) _____

2. Mia sorella/mio fratello (**dinamico**) _____

3. Le mie cugine/i miei cugini (**carino**) _____

4. Il provolone/la ricotta (**buono**) _____

5. Gli uomini/le donne (**forte**) _____

6. Angela/Franco (**giovane**) _____

Trani

ESERCIZIO B

Scrivere frasi complete usando la comparazione di uguaglianza, 3 frasi con «(tanto) . . . quanto» e 3 frasi con «(così) . . . come». Usare 6 aggettivi diversi.

(Write complete sentences using the comparison of equality, 3 with the first "as ... as" and 3 with the second "as ... as". Use 6 different adjectives.)

Esempio: Gli esami/gli esamini

Gli esami sono (tanto) facili quanto gli esamini.

Gli esami sono (così) facili come gli esamini.

1. Gli studenti/i professori _____

2. Il pollo/la carne _____

3. I biscotti/la crostata _____

4. Il cane/il gatto _____

5. La pallavolo/la corsa _____

6. Le ciliege/le fragole _____

ESERCIZIO C

Scrivere frasi complete usando la comparazione di uguaglianza, con «(tanto) . . . quanto» o «(così) . . . come». Usare una varietà di soggetti.

(Write complete sentences using the comparison of equality with either form of "as ... as". Use a variety of subjects.)

Esempio: difficili

Gli esamini non sono (tanto) difficili quanto gli esami.

Gli esamini non sono (così) difficili come gli esami.

1. bionda _____

2. grandi _____

3. simpatiche _____

4. generoso _____

ESERCIZIO D

Lavorare insieme ad un compagno/una compagna. Fare e rispondere alle seguenti domande.

(Work together with a classmate. Ask and answer the following questions.)

1. Secondo te, quale città è così bella come Venezia?

2. Secondo te, quale piatto è tanto saporito quanto gli spaghetti al pesto?

3. Secondo te, quale materia è difficile quanto la chimica?

2. il comparativo

In English the comparative is expressed by adding **-er** to an adjective or by placing the words **more** or **less** before the adjective followed by the word "than". In Italian, the word for "**than**" with comparatives is "**di**".

strong - strong**er** than

intelligent - **more** intelligent **than**

difficult - **less** difficult **than**

In Italian the comparative is expressed by using:
più + adjective + **di**; or **meno** + adjective + **di**.

forte - **più** forte **di**

intelligente - **più** intelligente **di**

difficile - **meno** difficile **di**

Esempi:

Claudio è **più** forte **di** Giulia.
Claudio is stronger than Giulia.

Emma è **più** intelligente **di** Stefano.
Emma is more intelligent than Stefano.

Questa lezione è **meno** difficile **di** quella.
This lesson is less difficult than that one.

When **"than"** (*di*) is followed by a definite article, a prepositional contraction must be used.

La Puglia è **più** grande **della** Basilicata. (*di + la*)
Puglia is bigger than Basilicata.

Gli zii sono **meno** generosi **delle** zie. (*di + le*)
(The) Uncles are less generous than (the) aunts.

***The word **"than"** (*di*) becomes **che** when 2 adjectives, 2 infinitives, 2 nouns, or 2 adverbs are used in the comparison.

Esempi:

L'Italia è più bella **che** ricca. (**bella** and **ricca** are 2 adjectives)
Italy is more beautiful than wealthy.

Noi preferiamo dare **che** ricevere. (**dare** and **ricevere** are 2 infinitives)
We prefer to give than to receive.

A Bari ci sono più barche **che** aerei. (**barche** and **aerei** are 2 nouns)
In Bari there are more boats than planes.

Mio padre guida più velocemente **che** lentamente.
My father drives more quickly than slowly.
(**velocemente** and **lentamente** are 2 adverbs)

⚠ ATTENZIONE!

Più di (*more than*) and **meno di** (*less than*) do not change when followed by a number.

Ho comprato **più di** tre magliette.

Quella macchina costa **meno di** ventimila dollari.

Bari

130 **Sito 4** | La Puglia

ESERCIZIO A

Scrivere frasi complete usando il comparativo con «più» e «di», secondo il tuo parere.

(Write complete sentences using the comparative degree with "more" and "than", according to your opinion.)

Esempio: Gli esamini/gli esami   *Gli esamini sono più facili degli esami.*
Gli esami sono più facili degli esamini.

1. Le Alpi/gli Appennini (**alto**) _____

2. Mia sorella/mio fratello (**dinamico**) _____

3. Il provolone/la ricotta (**buono**) _____

4. Gli uomini/le donne (**forte**) _____

5. Angela/Franco (**giovane**) _____

ESERCIZIO B

Scrivere frasi complete usando il comparativo con «meno» e «di», secondo il tuo parere. Usare 6 aggettivi diversi.

(Write complete sentences using the comparative degree with "less" and "than", according to your opinion. Use 6 different adjectives.)

Esempio: Gli esami/gli esamini   *Gli esami sono meno facili degli esamini.*
Gli esamini sono meno facili degli esami.

1. Il pollo/la carne _____

2. I biscotti/la crostata _____

3. Il cane/il gatto _____

4. La pallavolo/la corsa _____

5. Le ciliege/le fragole _____

ESERCIZIO C

Scrivere frasi complete usando il comparativo con «più» o «meno» e «che», secondo il tuo parere. Usare una varietà di soggetti.

(Write complete sentences using the comparative degree with "more" or "less" and "than", according to your opinion. Use a variety of subjects.)

Esempio: Gli esami/gli esamini   *Lui dà meno esami che esamini.*
Lui dà più esami che esamini.

1. bionda/bruna _____

2. giocare/guardare la tele _____

3. le arance/le pere _____

4. generoso/avaro _____

5. dormire/studiare _____

ESERCIZIO D

Lavorare insieme ad un compagno/una compagna. Fare e rispondere alle seguenti domande.

(Work together with a classmate. Ask and answer the following questions.)

1. Gli esami di quale professore sono meno facili degli esamini?

2. Secondo te, quale sport è più divertente che pericoloso?

3. Quale regione italiana è più piccola del Molise?

3. il superlativo

In English the superlative is expressed by adding **-est** to an adjective or by placing the words **most** or **least** before the adjective followed by the word "**in**". In Italian, the word for "**in**" with superlatives is "**di**".

When **di** (in) is followed by a definite article, a prepositional contraction must be used.

strong - strong**est in**	intelligent - **most** intelligent **in**	difficult - **least** difficult **in**
il/la più forte **di**	**il/la più** intelligente **di**	**il/la meno** difficile **di**
i/le più forti **di**	**i/le più** intelligenti **di**	**i/le meno** difficili **di**

In Italian the superlative is expressed by using:
> *definite article* + *(noun)* + *più* + *adjective* + *di*; or
> *definite article* + *(noun)* + *meno* + *adjective* + *di*

Esempi:
Claudio è **il più** forte **della** famiglia. (*di + la*)
*Claudio is **the strongest in the** family.*

Eva e Ugo sono **i più** intelligenti **della** classe. (*di + la*)
*Eva and Hugo are **the most** intelligent **in the** class.*

Bari non è **la città più** grande **dell'**Italia meridionale. (*di + l'*)
*Bari is not **the** larg**est** city **in** southern Italy.*

Quelle scarpe sono **le meno** costose **del** negozio. (*di + il*)
*Those shoes are **the least** expensive **in the** store.*

> ⚠️ **ATTENZIONE!**
>
> Even though the noun is not necessary in the superlative degree, the article and adjective still must agree as if the noun is or was present in the sentence!

ESERCIZIO A

Scrivere frasi complete usando il superlativo con «meno» e «di».

(Write complete sentences using the superlative degree with "least.")

Esempio: Gli esamini/difficile/classe   *Gli esamini sono i meno difficili della classe.*

1. Le Alpi/lungo/Italia _____

2. Mia sorella/dinamico/famiglia _____

3. Le mie cugine/generoso/parenti _____

4. Il provolone/delizioso/formaggi _____

5. Le donne/forte/gruppo _____

6. Angela e Franco /paziente/amici _____

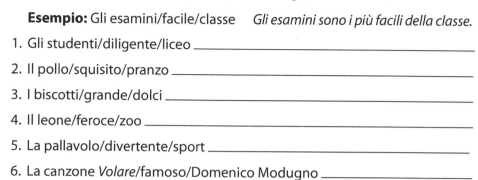

ESERCIZIO B

Scrivere frasi complete usando il superlativo con «più» e «di».

(Write complete sentences using the superlative degree with "most".)

Esempio: Gli esamini/facile/classe   *Gli esamini sono i più facili della classe.*

1. Gli studenti/diligente/liceo _____

2. Il pollo/squisito/pranzo _____

3. I biscotti/grande/dolci _____

4. Il leone/feroce/zoo _____

5. La pallavolo/divertente/sport _____

6. La canzone *Volare*/famoso/Domenico Modugno _____

Domenico Modugno

 ## ESERCIZIO C

Lavorare insieme ad un compagno/una compagna. Fare e rispondere alle seguenti domande.

(Work together with a partner. Ask and answer the following questions.)

1. Chi è il più giovane della tua famiglia?

2. Quali macchine sono le meno costose?

3. Qual è la città più grande dell' Italia centrale?

Superlativo assoluto/
Absolute superlative

1. In English the absolute superlative (*superlativo assoluto*) is expressed by using the word "very" before an adjective.

   Examples:

adjective	absolute superlative
easy	**very** easy
dangerous	**very** dangerous
clear	**very** clear

2. In Italian there are two ways to express the absolute superlative:

   • place **molto** (*very*) before the adjective

   • add **-issimo** to the adjective after dropping the final vowel.

   Esempi:

very easy	**molto facile**	**facilissimo**
very dangerous	**molto pericoloso**	**pericolosissimo**
very clear	**molto chiaro**	**chiarissimo**

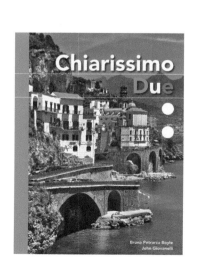

3. The suffix **-issimo** can end in **-o**, **-i**, **-a**, or **-e** because, like all other adjectives, it must agree in gender and number with the noun it modifies.

   Esempi:

Le lezioni erano facil**issime**.	*The lessons were very easy.*
Quell'autostrada era pericolos**issima**.	*That highway was very dangerous.*
Questo libro è chiar**issimo**!	*This book is very clear!*

ESERCIZIO A

Riscrivere le seguenti frasi usando il superlativo assoluto.

(Rewrite the following sentences using the absolute superlative.)

1. I nostri studenti sono molto bravi.

   _____

2. Il Dottor Tromba era molto elegante quella sera.

   _____

3. Queste montagne sono molto alte.

   _____

4. La costa pugliese è molto bella.

   _____

5. La gente che ho conosciuto a Foggia era molto simpatica.

   _____

le Isole Tremiti

ESERCIZIO B

Riscrivere le seguenti frasi usando l'avverbio «*molto*» e l'aggettivo.

(Rewrite the following sentences using the adverb "very" and the adjective.)

1. Il porto di Bari è grandissimo.

   _____

2. Noi siamo fortissimi.

   _____

3. I cavatelli al ragù sono buonissimi.

   _____

4. Mia sorella è intelligentissima.

   _____

5. Le mie amiche sono studiosissime.

   _____

Vieste

ESERCIZIO C

Scrivere 5 frasi originali usando il superlativo assoluto e una varietà di soggetti e aggettivi.

(Write 5 original sentences using the absolute superlative and a variety of subjects and adjectives.)

1. _____.

2. _____.

3. _____.

4. _____.

5. _____.

ESERCIZIO D

Leggere e scegliere le risposte corrette per completare il seguente brano.

(Read and select the correct answers to complete the following passage.)

All'aeroporto

Ieri pomeriggio mio nipote mi ha portato **(1)** . . . aeroporto verso le due. Appena sono arrivata, mi sono fermata al bar dove compro sempre una tazzina **(2)** . . . caffè *Lavazza*. Di solito **(3)** . . . il caffè di quel bar, ma questa volta non **(4)** . . . . Quindi ho spiegato alla barista che il caffè non era così buono **(5)** . . . le altre volte. Lei, gentilmente, mi ha preparato un'altra tazzina. Che differenza! La seconda era **(6)** . . . ! L'ho ringraziata e poi sono andata al **(7)** . . . numero quattro dove mi sono seduta e **(8)** . . . il mio volo.

1. A. al   B. all'   C. allo   D. alla

2. A. di   B. a   C. in   D. con

3. A. mi piacciono   B. mi è piaciuto   C. mi piace   D. mi sono piaciuti

4. A. mi è piaciuta   B. mi è piaciuto   C. mi sono piaciute   D. mi sono piaciuti

5. A. tanto   B. quanto   C. molto   D. come

6. A. buonissima   B. fortissima   C. amarissima   D. dolcissima

7. A. passaporto   B. schermo   C. decollo   D. cancello

8. A. hai aspettato   B. ha aspettato   C. ho aspettato   D. avete aspettato

ESERCIZIO E

Lavorare insieme ad un compagno/una compagna. Fare e rispondere alle seguenti domande.

(Work together with a classmate. Ask and answer the following questions.)

1. Quali attrici sono famosissime?

2. Secondo te, quale giorno della settimana è noiosissimo? Perché?

3. Quali vestiti sono comodissimi?

4. Secondo te, quale stagione è bellissima? Perché?

Le Cinque Abilità

Ascolto, Lettura, Scrittura, Comunicazione, Cultura

🎧 Ascolto 1/Interpretive Mode

Ascoltare attentamente la conversazione due volte. Poi, rispondere alle 4 domande.

(Listen carefully to the conversation repeated twice. Then, answer the 4 questions.)

1. Perché Giovanni scrive una mail a Rosa?
- A. Il suo telefonino ha molti messaggi.
- B. Lei non accende mai il telefonino.
- C. Il suo cellulare è rotto.
- D. Lei non risponde al telefono.

2. Perché Rosa non sente lo squillo del telefonino?
- A. Non ha il suo cellulare.
- B. Il volume è in basso.
- C. Il telefonino è piccolo.
- D. Non ha molti messaggi.

3. Il telefonino di Rosa è sempre . . . .
- A. a casa
- B. perso
- C. acceso
- D. in borsa

4. Di chi è il telefonino che ha Rosa?
- A. di Giovanni
- B. di un parente
- C. di sua sorella
- D. di lei

🎧 Ascolto 2/Interpretive Mode

Ascoltare attentamente ogni frase due volte. Poi, scrivere la lettera dell'immagine che corrisponde a ciascuna frase sulla linea.

(Listen carefully to each sentence repeated twice. Then, write the letter of the picture that corresponds to each sentence on the line.)

| A | B | C | D | E |

1. _____ 2. _____ 3. _____ 4. _____ 5. _____

Leggere attentamente il brano e poi, rispondere alle 3 domande.

(Read the passage carefully and then, answer the 3 questions.)

La tecnologia

Tutti dicono che i giovani di oggi non possono vivere senza la tecnologia. Hanno bisogno della tivù, di Facebook, dei cellulari, dei portatili, degli iPad, eccetera. Questo non è vero. Io ho quindici anni e sono quasi quattro settimane che seguo un corso estivo d'italiano all'Università di Roger Williams, nello stato del Rhode Island. Il programma è molto intenso e tutti dobbiamo parlare sempre in italiano. Quindi, non guardo la televisione, non leggo il giornale, non ho né un telefonino né un computer, niente inglese e nessuna tecnologia. Passo molto tempo con altri ragazzi che studiano qui con me e facciamo molte attività divertenti insieme. Adesso so che la tecnologia assorbe molto del mio tempo libero. Quando tornerò a casa, sono sicuro che passerò meno tempo chiuso in casa davanti a un computer e più tempo con gli amici.

1. Da quanto tempo non usa la tecnologia lo studente?

A. da quindici anni

B. da quattro giorni

C. da un mese

D. da una settimana

2. Senza la tecnologia, come passa il tempo libero lo studente?

A. Si arrabbia con i professori.

B. Si mette a piangere.

C. Si addormenta presto.

D. Si diverte con gli amici.

3. Che cosa impara lo studente da questo programma?

A. La vita sociale è importantissima.

B. È meglio rimanere chiuso in casa.

C. Nessuno può vivere senza la tecnologia.

D. Non deve parlare con altre persone.

Scrittura/Interpretive Mode

Guardare quest'immagine e poi scrivere un paragrafo di almeno 10 frasi con il verbo piacere, i pronomi di oggetto indiretto, una comparazione d'uguaglianza, un comparativo e un superlativo/un superlativo assoluto. Utilizzare almeno 5 di questi aggettivi: serio, furioso, pauroso, divertente, emozionato, orgoglioso, attento, arrabbiato, amichevole o noioso.

(Look at this picture and then write a paragraph of at least 10 sentences with the verb to like, indirect object pronouns, a comparison of equality, a comparative, and a superlative/an absolute superlative. Utilize at least 5 of these adjectives: serious, furious, scary, enjoyable, excited, proud, attentive, angry, friendly, or boring.)

Comunicazione Orale/
Interpersonal Mode

ESERCIZIO A

Lavorare insieme ad un compagno/una compagna. Fare e rispondere alle seguenti domande.

(Work together with a classmate. Ask and answer the following questions.)

1. Seconde te, chi è l'attrice più famosa di Hollywood?

2. Quale programma televisivo è interessantissimo? Perché?

3. In questa classe chi è tanto alto/alta quanto te?

4. Cosa ti piaceva fare quando avevi dieci anni?

5. Quale tecnologia usi nelle tue classi?

Fare una conversazione con un compagno/una compagna.
(Converse with a classmate.)

Ti fa una domanda: He/She asks you a question:	Studente 1: **Che cosa mi suggerisci di regalare a Giuseppe?**
Gli/Le rispondi: You answer him/her:	Studente 2:
Ti parla di un problema: He/She talks to you about a problem:	Studente 1: **Non ho né tempo né soldi per comprargli una cravatta.**
Gli/Le chiedi perché e commenti: You ask him/her why and comment:	Studente 2:
Ti dà una spiegazione: He/She gives you an explanation:	Studente 1: **So che a lui piacciono le cravatte Versace.**

Alberobello

Foggia

★Bari

•Alberobello

Taranto

•Brindisi

•Lecce

Leggere e discutere le seguenti informazioni sulla Puglia e poi, completare gli esercizi.

(Read and discuss the following information about Puglia and then, complete the exercises.)

1. È una regione dell'Italia meridionale ed è chiamata «il tacco» della penisola.

2. Il suo capoluogo è Bari. Confina con la Basilicata, la Campania, il Molise, il Mar Adriatico e il Mar Ionio.

3. Gli abitanti della Puglia sono chiamati «pugliesi».

4. La Puglia ha più di 800 chilometri di costa ed è una regione molto collinare e pianeggiante.

5. Alcuni piatti pugliesi ben conosciuti sono:

   • le **orecchiette**, una pasta della forma di un orecchio piccolo che si serve con il ragù di carne

   • i **cavatelli con le cozze**, una pasta con i frutti di mare

   • il **risotto ai frutti di mare**, un riso con una varietà di pesce

   • il **capocollo**, un tipo di salame

   • il **caciocavallo silano** e il **canestrato pugliese**, due formaggi regionali

6. Altre città della regione sono:

   • **Alberobello**, celebre per le sue caratteristiche case chiamate «trulli», antiche costruzioni di forma conica costruite in pietra

   • **Bari**, un porto commerciale e turistico

   • **Brindisi**, un altro porto commerciale, turistico e anche militare

   • **Foggia**, un importante centro agricolo e commerciale

   • **Lecce**, una città d'arte nota come «la Firenze del Sud» o «la Firenze del Barocco»

   • **Taranto**, uno dei porti più importanti in Italia e il secondo porto italiano per numero di merci

le orecchiette

7. Alcuni personaggi famosi della Puglia sono:

- Pietro Mascagni (*compositore, 1863–1945*)
- Padre Pio da Pietrelcina (*religioso, 1887–1968*)
- Rodolfo Valentino (*attore, 1895–1926*)
- Aldo Moro (*politico, 1916–1978*)
- Domenico Modugno (*cantante, 1928–1994*)
- Renzo Arbore (*cantante e presentatore, 1937–*)
- Nicola DiBari (*cantante, 1940–*)
- Al Bano Carrisi (*cantante, 1943–*)
- Marco Materazzi (*calciatore, 1973–*)

Pietro Mascagni

www.regione.lapuglia.it

ESERCIZIO A

Leggere attentamente le 10 frasi e poi, secondo le informazioni sulla cultura, scegliere *Vero* o *Falso*.
(*Read the 10 sentences carefully and then, according to the cultural information, select **True** or **False**.*)

1. Renzo Arbore è un cantante pugliese.	Vero	Falso
2. Uno dei porti importanti in Puglia è Lecce.	Vero	Falso
3. Alberobello è un albero in Puglia.	Vero	Falso
4. Brindisi e Taranto sono due porti in questa regione.	Vero	Falso
5. Bari è il capoluogo della Puglia.	Vero	Falso
6. Gli abitanti della Puglia sono chiamati «pugliesi».	Vero	Falso
7. La costa della Puglia è lunga.	Vero	Falso
8. Il capocollo è una verdura che si mette nei panini.	Vero	Falso
9. *I cavatelli con le cozze* sono una specialità pugliese.	Vero	Falso
10. La Puglia è chiamata «lo stivale d'Italia».	Vero	Falso

i cavatelli con le cozze

Brindisi

il capocollo

ESERCIZIO B

Scegliere le risposte corrette. Fare una ricerca su Internet se necessario.

(Select the correct responses. Do Internet research if necessary.)

1. La Puglia confina con la Basilicata, . . . , la Campania e il Mar Ionio.

   A. le Marche   B. la Sicilia   C. l'Umbria   D. il Molise

2. Rodolfo Valentino era un . . . pugliese.

   A. compositore   B. attore   C. cantante   D. calciatore

3. La città dei «trulli» in Puglia è . . . .

   A. Bari   B. Foggia   C. Lecce   D. Alberobello

4. Bari, Brindisi e Taranto sono . . . italiani.

   A. poeti   B. scrittori   C. porti   D. compositori

5. Il caciocavallo silano è un . . . .

   A. risotto   B. mare   C. pesce   D. formaggio

6. La Puglia è una regione nell'Italia . . . .

   A. meridionale   B. centrale   C. insulare   D. settentrionale

7. Ci sono molte . . . in questa regione.

   A. colline   B. vigne   C. banche   D. cozze

8. Un cantante nato nel millenovecentoventotto è . . . .

   A. Arbore   B. Modugno   C. Carrisi   D. DiBari

Rodolfo Valentino

Taranto

📖 Sito Quattro: Vocabolario

aggettivi

acceso - on

affermativo - affirmative

amichevole - friendly

arrabbiato - angry; mad

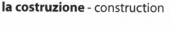

attento - attentive; careful

avaro - stingy; avaricious

consapevole - aware

costruito - built

divertente - fun

emozionato - excited; thrilled

furioso - furious

intenso - intense

negativo - negative

noioso - boring

orgoglioso - proud

pauroso - fearful; scared

rotto - broken

serio - serious

spento - off

unico - only; one; unique

avverbi

insieme - together

lentamente - slowly

velocemente - quickly; fast

nomi/sostantivi

la tecnologia – technology (pagine 116-117, Indice 280)

il capitano - captain

la costruzione - construction

la forma - form

il giocatore - player

le orecchiette - type of pasta

il regalo - gift

la regola - rule

la squadra - team

lo squillo - sound; ring

la vendita - sale

la verità - truth

verbi

la tecnologia - technology (pagine 116-117, Indice 280)

assorbire *(isc)* - to consume; absorb

dire - to say; tell

dovere - to have to; must

facilitare - to facilitate; ease

mantenere - to maintain; keep

piacere - to be pleasing; like

potere - to be able; can

prestare - to lend

regalare - to give a gift

spiegare - to explain

telefonare (a) - to telephone

tradurre - to translate

utilizzare - to utilize; use

volere - to want; wish

altre parole

al più presto - as soon as possible

L'Abruzzo

Castel del Monte

Objectives:

- Form and utilize the simple future tense of regular and irregular verbs.
- Recognize and use affirmative and negative terms.
- Utilize the adjectives *buono, nessuno, bello, santo,* and *grande*.
- Identify terms relating to pastimes.
- Locate and discuss characteristics of the region of Abruzzo.

Per chiacchierare:

- What will you be doing in ten years?
- How do you spend your free time?
- Do you know people from Abruzzo? What do they say about this region?

Discuss the proverb:

Dimmi con chi vai,
e ti dirò chi sei.

Birds of a feather flock together.

Verbi regolari al futuro semplice/
Regular verbs in the simple future tense

The simple future tense indicates what will happen anytime after now. The terms "will" or "shall" usually indicate an action in the future tense in English.

- The simple future tense is different from the other tenses that you have studied because it has **ONE** set of endings for regular and irregular verbs and **ONLY** the last letter (**-e**) of the verb infinitive of regular verbs is dropped before the endings are attached.

- all **-are** regular verb infinitives change to **-ere** verb infinitives and are conjugated like **-ere** verbs.

- The endings are: **-ò**, **-ai**, **-à**, **-emo**, **-ete**, **-anno** and all mean "will" or "shall".

Here are 3 regular verbs conjugated in the simple future tense:

aiutare - *to help*	mettersi - *to put on clothes*	dire - *to say; to tell*
aiuter**ò**	mi metter**ò**	dir**ò**
aiuter**ai**	ti metter**ai**	dir**ai**
aiuter**à**	si metter**à**	dir**à**
aiuter**emo**	ci metter**emo**	dir**emo**
aiuter**ete**	vi metter**ete**	dir**ete**
aiuter**anno**	si metter**anno**	dir**anno**

Esempi:

Chi mi **aiuterà**?	*Who will/shall help me?*
Loro **si metteranno** le scarpe.	*They will/shall put on their shoes.*
Io le **dirò** la verità.	*I will/shall tell her the truth.*

- Verbs that end in **-care** become **-cher** and verbs that end in **-gare** become **-gher**. The letter **-h** is required in all forms of these verbs to maintain the hard sound.

Esempi:

Lei non **dimenticherà** la data.	*You/She will/shall not forget the date.*
Chi **pagherà** il conto?	*Who will/shall pay the bill?*

- Verbs that end in **-ciare** become **-cer** and verbs that end in **-giare** become **-ger**. The letter **-i** is dropped because it is not pronounced.

Esempi:

Lui la **bacerà**.	*He will/shall kiss her.*
Voi **viaggerete** quest'estate.	*You will/shall travel this summer.*

- Like other tenses, the two common forms of the verb "to like" (*piacere*) in the future tense are **piacerà** (*terza persona singolare*) and **piaceranno** (*terza persona plurale*).

> **Esempi:**
> Mi **piacerà** la nuova tavola.
> Le **piaceranno** i fiori?
>
> *I will like the new table.*
> *Will she like the flowers?*

 ## ESERCIZIO A

Scegliere la forma corretta del verbo in parentesi.
(Select the correct form of the verb in parentheses.)

1. L'uomo (**indosserà/indosserai**) una cravatta blu.
2. Io (**viaggerai/viaggerò**) in aereo.
3. Le donne (**servirete/serviranno**) il caffè in sala da pranzo.
4. Il loro zio (**si riposerà/si riposeranno**) in salotto.
5. Le foglie (**diventeremo/diventeranno**) arancioni in autunno.
6. Tu (**cercherete/cercherai**) un bel vestito nero in quel negozio.
7. Io e la mia amica ti (**telefoneremo/telefonerò**) più tardi.
8. Voi (**ci sveglieremo/vi sveglierete**) molto presto domani mattina.

 ## ESERCIZIO B

Scegliere il verbo corretto in parentesi.
(Select the correct verb in parentheses.)

1. Gli uomini (**giocheranno/suoneranno**) la chitarra.
2. Cosa (**ti metterai/ti truccherai**) al ballo?
3. Dove (**comprerete/capirete**) i panini al prosciutto?
4. Chi (**mangerà/pagherà**) il conto nel ristorante?
5. Noi (**dormiremo/apriremo**) otto ore stanotte.

 ## ESERCIZIO C

Riscrivere le frasi trasformando i verbi dal presente al futuro semplice.
(Rewrite the sentences changing the verbs from the present tense to the simple future tense.)

1. Io aspetto l'autobus all'angolo. _____
2. Noi parcheggiamo la macchina. _____
3. Loro cercano gli amici. _____
4. Voi non perdete niente. _____
5. Tu pulisci la tua camera da letto. _____
6. Lui si sente bene. _____

ESERCIZIO D

Riscrivere le frasi trasformando i verbi dal passato prossimo al futuro semplice.

(Rewrite the sentences changing the verbs from the past tense to the simple future tense.)

1. Sono partiti a mezzogiorno. _____
2. Non abbiamo dimenticato il passaporto. _____
3. Mi sono vestita elegantemente. _____
4. Avete letto *La Divina Commedia*? _____
5. Quante partite hanno vinto? _____
6. Quando hai ricevuto la pagella? _____

ESERCIZIO E

Completare le seguenti frasi usando una varietà di verbi al futuro semplice.

(Complete the following sentences using a variety of verbs in the simple future tense.)

1. Fra vent'anni _____.
2. L'anno prossimo _____.
3. Questo weekend _____.
4. Fra tre mesi _____.
5. In due settimane _____.

La Divina Commedia

Verbi irregolari al futuro semplice/
Irregular verbs in the simple future tense

Irregular verbs have the same endings as regular verbs in the simple future tense. However, they are irregular because their stems do not follow the same pattern as regular verbs.

These irregular verb stems **MUST** be memorized:

andare (**andr-**)	Io **andrò** al supermercato.
avere (**avr-**)	Tu **avrai** diciotto anni.
dovere (**dovr-**)	Lui **dovrà** studiare molto.
potere (**potr-**)	Lui/Lei/Lei non **potrà** uscire.
sapere (**sapr-**)	Noi **sapremo** le risposte.
vedere (**vedr-**)	Voi non **vedrete** quei film.
vivere (**vivr-**)	Loro **vivranno** cent'anni.

dare (**dar-**)	Io vi **darò** un passaggio.
fare (**far-**)	Tu mi **farai** una domanda.
stare (**star-**)	Lui/Lei/Lei **starà** attento/attenta.

bere (**berr-**)	Io non **berrò** un'aranciata.
rimanere (**rimarr-**)	Tu **rimarrai** a casa.
venire (**verr-**)	Lui/Lei/Lei non **verrà** in moto.
volere (**vorr-**)	Noi **vorremo** dormire.

| essere (**sar-**) | Chi **sarà** in palestra? |

 ESERCIZIO A

Scegliere i verbi giusti al futuro semplice per completare il brano.

(Select the correct verbs in the simple future tense to complete the passage.)

cercherà   guadagnerà   lasceranno   farà   frequenterà   avranno

Due amici abruzzesi

Gino e Franco sono buoni amici ma, allo stesso tempo, sono due persone molto diverse. Sono nati in Abruzzo e, secondo me, non **(1)** _____ mai quella regione. Quando Gino e Franco **(2)** _____ vent'anni, abiteranno ancora a L'Aquila, una bella città abruzzese.

Gino **(3)** _____ un'università in Abruzzo perché gli piace studiare e **(4)** _____ l'avvocato come sua madre. Franco, invece, **(5)** _____ lavoro. Forse lavorerà nella ditta di suo zio che abita nella stessa città! Secondo te, chi **(6)** _____ più soldi, Gino o Franco?

 ESERCIZIO B

Completare ogni frase al futuro semplice con un verbo appropriato.

(Complete each sentence with an appropriate verb in the simple future tense.)

1. Io e Tiziana _____ i compiti insieme alle venti.

2. Io _____ una mano alla nonna.

3. Il mio fratellino _____ nove anni l'otto luglio.

4. Rosa e Beppe _____ a scuola in macchina.

5. È venuto Marco? No, lui non _____ stasera.

6. Oggi è mercoledì. Dopodomani _____ venerdì.

ESERCIZIO C

Scrivere frasi originali al futuro semplice usando diversi soggetti e verbi.

(Write original sentences in the simple future tense using a variety of subjects and verbs.)

1. Domani _____.

2. La settimana prossima _____.

3. In dieci anni _____.

4. Il prossimo mese _____.

5. Fra poco _____.

6. Durante le mie vacanze estive _____.

ESERCIZIO D

Lavorare insieme ad un compagno/una compagna. Fare e rispondere alle seguenti domande.

(Work together with a classmate. Ask and answer the following questions.)

1. Quanto tempo rimarrai in Abruzzo?

2. Quando saprai la data di partenza?

3. Che cosa dovrai ripassare per l'esame?

4. Dove vorrai pranzare?

5. Chi non potrà venire al cinema con te?

Parole affermative e negative/
Affirmative and negative words

All sentences can be either affirmative or negative. To make an affirmative sentence negative in Italian, the word "**non**" is placed before the conjugated verb .

> **Esempio:** Io **non** sarò assente domani.
> I will **not** be absent tomorrow.

Here is a list of additional terms that can be used in affirmative and negative sentences:

affermativo	negativo
sempre - *always*	**mai** - *never; ever*
qualcosa - *something*	**niente/nulla** - *nothing; anything*
qualcuno - *someone*	**nessuno** - *no one; anyone*
o - *or*	**né . . . né** - *neither . . . nor/either . . . or*
ancora - *still; yet*	**non . . . più** - *no longer; not anymore*
anche - *also; too*	**neanche/nemmeno/neppure** - *not even*

- In Italian double negatives can be used to express a negative thought or idea. Therefore if the words **mai**, **niente**, **nulla**, **nessuno**, **né . . . né**, **non . . . più**, **neanche**, **nemmeno**, and **neppure** come AFTER the verb, the word **NON** is required before the verb.

Esempi:

affermativo	negativo
Loro hanno **sempre** fame.	Loro **non** hanno **mai** fame.
Lui cerca **qualcosa**.	Lui **non** cerca **niente** (**nulla**).
Io conosco **qualcuno**.	Io **non** conosco **nessuno**.
Desidera carne **o** pesce?	**Non** desidera **né** carne **né** pesce?
Abitiamo **ancora** a Teramo.	**Non** abitiamo **più** a Teramo.
Giocate **anche** a pallavolo?	**Non** giocate **neanche** a pallavolo?

- If the negative words **mai**, **niente**, **nulla**, **nessuno**, **neanche**, **nemmeno**, and **neppure** come BEFORE the verb, the word **NON** is omitted.

Esempi:

affermativo	negativo
Loro studiano **sempre**!	Loro **mai** studiano!
Qualcosa funziona bene.	**Niente** (**Nulla**) funziona bene.
Qualcuno era assente ieri.	**Nessuno** era assente ieri.
Voi giocate **anche** a pallavolo?	**Neanche** (**Nemmeno**/**Neppure**) voi giocate a pallavolo?

 ## ESERCIZIO A

Trasformare le frasi dalla forma affermativa alla forma negativa.
(Change the sentences from the affirmative to the negative.)

1. Le mie sorelline mangiavano qualcosa ogni pomeriggio.

2. Io ero ancora nella regione d'Abruzzo.

3. Dopo cena guardiamo sempre il telegiornale.

4. Tu studierai la chimica o il calcolo.

5. Voi avete conosciuto qualcuno famoso.

 ## ESERCIZIO B

Trasformare le frasi dalla forma negativa alla forma affermativa.
(Change the sentences from the negative to the affirmative.)

1. Non ho comprato niente al negozio.

2. Non scrivono più le lettere.

3. Non andremo a Pescara con nessuno.

4. Il mio professore non si arrabbiava mai.

5. Da bambino/bambina non mi piaceva andare né in bicicletta né in motocicletta.

Compri questo **Scooter!**

È comodo, agile, aumenta decisamente la velocità ed è costruito con grande cura. Costa: €10,000

Lavorare con un compagno/una compagna. Fare e rispondere alle domande all'affermativo o al negativo.

(Work with a classmate. Ask and answer the questions in the affirmative or in the negative.)

1. Hai visto qualcuno al cinema ieri sera?

2. Ti alzerai presto o tardi domani mattina?

3. Perché non lavori più nel supermercato?

4. Quale lingua non hai mai studiato?

5. Stasera preferisci mangiare le lasagne o i manicotti?

Aggettivi: buono, nessuno, bello, santo e grande/ Adjectives: good, not one/a single, beautiful/handsome, saint, and big/great

Buono/Good

The adjective **buono** can precede or proceed the noun. When **buono** proceeds the noun, it has four forms: **buono**, **buona**, **buoni**, and **buone**.

Quel panino è **buono**.	*That sandwich is good.*
Questa pasta sarà **buona**.	*This pasta will be good.*
I miei voti erano **buoni**.	*My grades were good.*
Le bevande sono **buone**.	*The beverages are good.*

When **buono** precedes the noun it has six forms: **buon**, **buono**, **buona**, **buon'**, **buoni**, and **buone**. Notice that the singular forms of **buono** are similar to the indefinite articles **un**, **uno**, **una**, and **un'** when they precede the noun.

È un **buon** amico.	*He's a good friend.*
Sono **buoni** amici.	*They are good friends.*
È un **buono** stadio.	*It's a good stadium.*
Sono **buoni** stadi.	*They are good stadiums.*
È una **buona** rivista.	*It's a good magazine.*
Sono **buone** riviste.	*They are good magazines.*
È una **buon'**idea.	*It's a good idea.*
Sono **buone** idee.	*They are good ideas.*

Teramo

ESERCIZIO A

Scrivere la forma corretta dell'aggettivo «buono».
(Write the correct form of the adjective "good".)

1. I maccheroni alla chitarra, una specialità abruzzese, sono _____.

2. Le ciliege erano _____.

3. L'osso buco sarà _____.

4. La frittata è _____.

5. La carne era molto _____.

6. Le pesche saranno _____.

7. Il salame non era _____.

ESERCIZIO B

Scrivere la forma corretta dell'aggettivo «buono».
(Write the correct form of the adjective "good".)

1. Questa è una _____ insalata.

2. Quello era un _____ gelato.

3. Questo è un _____ zodiaco.

4. Mia nipote preparerà una _____ crostata di mirtilli.

5. Ho un gruppo di _____ amici italiani.

6. Ieri sera ho sentito delle _____ notizie.

7. Ho un _____ dottore.

Nessuno/Not one/a single one

The adjective **nessuno** is only used with singular nouns and it must always precede the noun. The forms of nessuno are: **nessun**, **nessuno**, **nessuna**, and **nessun'**. Notice that the forms of **nessuno** are also similar to the indefinite articles **un**, **uno**, **una**, and **un'**.

Non porti **nessun** quaderno.	*You don't bring **a single** notebook.*
Non faremo **nessuno** sbaglio.	*We will not make **a single** mistake.*
Non capivo **nessuna** parola.	*I used to not understand **a single** word.*
Non ho **nessun'**idea.	*I don't have **a single** idea (clue).*

Scrivere la forma corretta dell'aggettivo «nessuno».

(Write the correct form of the adjective "not one/a single".)

1. Gli studenti non hanno _____ matita.

2. Non ci sarà _____ studente in classe domani mattina.

3. Stasera non mangerà _____ contorno.

4. Non avete visitato _____ isola italiana.

5. Da bambino/bambina non facevo _____ sport.

6. La famiglia non ha ricevuto _____ notizia dai parenti abruzzesi.

✎ **Bello**/Beautiful/Handsome

When the adjective **bello** proceeds the noun, it has four forms like the adjective *buono*: **bello**, **bella**, **belli**, and **belle**.

> Il mio cappello nuovo è **bello**.
>
> Quella gonna non è molto **bella**.
>
> Le tue scarpe sono **belle**.
>
> Quegli stivali sono **belli** e molto di moda.

When **bello** precedes the noun, it has seven forms: **bel**, **bello**, **bell'**, **bella**, **bei**, **begli**, and **belle**. Notice that the forms of **bello** are formed by using "be" + the definite article, like the prepositional contractions.

l'opera Aida

> Ho visto un **bel** vestito nero.
> *I saw a beautiful black dress.*
>
> Abbiamo visto dei **bei** vestiti neri.
> *We saw some beautiful black dresses.*
>
> Deve comprare un **bello** zaino.
> *He/She has to buy a beautiful backpack.*
>
> Devono comprare due **begli** zaini.
> *They have to buy two beautiful backpacks.*
>
> Carlo è un **bell'**uomo.
> *Carlo is a handsome man.*
>
> Carlo e Stefano sono due **begli** uomini.
> *Carlo and Stefano are two handsome men.*
>
> Oggi visiterò quella **bella** chiesa.
> *Today I will visit that beautiful church.*
>
> Oggi visiteremo quelle **belle** chiese.
> *Today we will visit those beautiful churches.*
>
> Tosca è una **bell'**opera italiana.
> *Tosca is a beautiful Italian opera.*
>
> Tosca ed Aida sono due **belle** opere italiane.
> *Tosca and Aida are two beautiful Italian operas.*

**Giacomo Puccini,
compositore italiano**

ESERCIZIO A

Scrivere la forma corretta dell'aggettivo «bello».

(Write the correct form of the adjective "beautiful/handsome".)

1. I negozi in quella zona sono _____.

2. Quelle spiagge a Pescara sono _____.

3. Le città in Abruzzo sono molto _____.

4. Questa foto di Teramo è _____.

5. Il signore vicino alla porta è molto _____.

6. Quei pantaloni grigi non sono _____.

7. La faccia del bambino è molto _____.

ESERCIZIO B

Scrivere la forma corretta dell'aggettivo «bello».

(Write the correct form of the adjective "beautiful/handsome".)

1. L'Abruzzo è una _____ regione centrale.

2. Chieti e Pescara sono due _____ città in Abruzzo.

3. Avevamo un _____ cane quando abitavamo in campagna.

4. Che _____ zaino! Dove l'hai comprato?

5. Che _____ stivali!

6. Ieri pomeriggio abbiamo fatto una _____ passeggiata.

7. Che _____ capelli lunghi!

8. Che _____ uccello tropicale!

Pescara

Santo/Saint

Santo means saint, holy or blessed.

When **santo** precedes a noun it is an adjective. Therefore the forms are: **san**, **santo**, **santa**, and **sant'**.

> **San** Giuseppe, **Santo** Stefano e **Sant'**Antonio sono tre santi.
> *St. Joseph, St. Stephen and St. Anthony are three saints.*

> **Santa** Maria e **Sant'**Elena sono due sante.
> *St. Mary and St. Helen are two saints.*

- **San** is used with all masculine singular names/nouns that begin with a consonant.

- **Santo** is used with all masculine singular names/nouns that begin with a *z* or *s* plus a consonant (*s impure*).

- **Sant'** is used with all masculine and feminine singular names/nouns that begin with a vowel.

- **Santa** is used with all feminine singular names/nouns that begin with a consonant.

Pacentro

Firenze

Scrivere la forma corretta della parola «santo».

(Write the correct form of the word "saint".)

1. _____ Francesco è nato ad Assisi.

2. _____ Gimignano è una bella città con due torri antiche.

3. La Basilica a Venezia si chiama _____ Marco.

4. Una repubblica indipendente in Italia è la Repubblica di _____ Marino.

5. La Basilica nel Vaticano si chiama _____ Pietro.

6. _____ Chiara è la santa protettrice di Siena.

7. Una statua di Dante si trova davanti alla Chiesa di _____ Croce a Firenze.

8. Il Duomo di Firenze si chiama _____ Maria del Fiore.

9. _____ Remo è una città conosciuta per il suo festival di musica.

il Gran Sasso

⊗ Grande/Big/great/famous

Grande means big, great or famous.

When the adjective **grande** proceeds the noun, it has two forms and it means big or large: **grande** and **grandi**.

> La loro squadra non è **grande**.
>
> Questo regalo è **grande**.
>
> Le squadre locali non sono **grandi**.
>
> I suoi regali sono **grandi**.

When it precedes the noun, it has four forms and it means great, well-known, or famous: **grande**, **gran**, **grand'**, and **grandi**.

> Il **Gran** Sasso è un monte alto dell'Abruzzo.
>
> Dante e Petrarca erano **grandi** scrittori.
>
> Raffaello era un **grande/grand'**artista rinascimentale.
>
> Raffaello e Michelangelo erano **grandi** artisti.
>
> Boccaccio era un **grande** scrittore fiorentino.
>
> Boccaccio e Petrarca erano **grandi** scrittori.
>
> Giulio Cesare era un **grande/grand'**uomo romano.
>
> Cesare e Nero erano **grandi** uomini.
>
> Sofia Loren sarà sempre una **grande/grand'**attrice.
>
> Santa Chiara e Santa Maria sono **grandi** sante.

Sofia Loren

Notice that:

- **Grande/Gran** may be used with all masculine and feminine singular nouns that begin with a consonant.

- **Grande** is used with all masculine and feminine singular nouns that begin with s plus a consonant (s impure), or z.

- **Grande/Grand'** may be used with masculine and feminine nouns that begin with a vowel.

- **Grandi** is used with all masculine and feminine plural nouns.

 ESERCIZIO A

Scrivere la forma corretta dell'aggettivo «grande».
(Write the correct form of the adjective "big".)

1. Il *Gran Sasso* è un monte molto _____.

2. Quelle scarpe erano troppo _____.

3. A Bruna non piace guidare una macchina _____.

4. La Sicilia è l'isola più _____ d'Italia.

5. Le tazzine e i piattini non sono _____.

6. Una frutta abbastanza _____ è il cocomero (l'anguria).

7. A volte gli occhi sono più _____ dello stomaco.

 ESERCIZIO B

Scrivere la forma corretta dell'aggettivo «grande».
(Write the correct form of the adjective "great/famous".)

1. Michelangelo era un _____ artista.

2. *La Pietà* è una _____ statua rinascimentale.

3. Grazia Deledda era una _____ scrittrice sarda.

4. Garibaldi, Mazzini e Cavour erano _____ uomini politici.

5. La Sicilia e la Sardegna sono due _____ isole italiane.

6. *Il Decamerone* di Boccaccio è un _____ libro.

7. Conosco una _____ dottoressa in quell'ospedale.

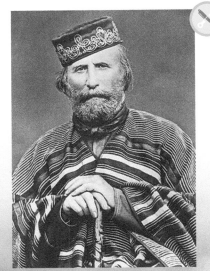

Giuseppe Garibaldi

il Campo Imperatore

ESERCIZIO A

Lavorare con un compagno/una compagna. Leggere e imparare le seguenti parole utili sui passatempi. Infine, completare l'esercizio.

(Work with a classmate. Read and learn the following useful pastime terms. Then, complete the exercise.)

andare alla galleria
fare lo shopping/le spese

fare una passeggiata
fare quattro passi

andare su Facebook
usare Skype
giocare ai videogiochi
leggere un romanzo

ballare/danzare
cantare
ascoltare la musica
andare in discoteca

incontrarsi con amici
uscire con gli amici
fare quattro chiacchiere

suonare la chitarra
suonare la batteria
cantare al karaoke

dipingere
disegnare

giocare a carte

pescare
nuotare

andare al cinema
andare a teatro
andare ad un concerto

Il gruppo musicale, Il Volo (Piero Barone, Ignazio Boschetto e Gianluca Ginoble) in concerto a Roma.

andare a teatro	*to go to the theater*
andare ad un concerto	*to go to a concert*
andare alla galleria	*to go to the mall*
andare in discoteca	*to go to the dance club*
andare su Facebook	*to go on Facebook*
cantare al karaoke	*to sing karaoke*
danzare/ballare	*to dance*
dipingere	*to paint*
disegnare	*to draw; design*
fare quattro chiacchiere	*to chat*
fare quattro passi	*to take a stroll*
fare uno sport	*to play a sport*
giocare a carte	*to play cards*
giocare ai videogiochi	*to play video games*
incontrarsi con amici	*to get together with friends*
leggere un romanzo	*to read a novel*
nuotare	*to swim*
pescare	*to fish*
suonare la batteria/la chitarra	*to play the drums/the guitar*
usare Skype	*to Skype*
uscire con gli amici	*to go out with friends*

1. Come si dice «**to play cards**» in italiano?
   A. giocare a carte   B. fare uno sport   C. pescare   D. nuotare

2. Cosa vuol dire «**fare quattro passi**»?
   A. to run   B. to jump   C. to stroll   D. to rest

3. Che significa «**dipingere**» in inglese?
   A. to paint   B. to draw   C. to fish   D. to go out

4. Come si dice «**to dance**»?
   A. fare   B. cantare   C. camminare   D. danzare

5. Come si dice «**to draw**»?
   A. accendere   B. spegnere   C. disegnare   D. stampare

ESERCIZIO B

**Lavorare con un compagno/una compagna.
Fare e rispondere alle seguenti domande.**
(*Work with a classmate. Ask and answer the following questions.*)

1. Qual è il tuo passatempo preferito? Perché?

2. Dove lo fai?

3. Quando lo fai?

4. Con chi lo fai?

5. Secondo te, quali sono 5 passatempi preferiti dei giovani di oggi?

IL VOLO in concerto
dom, 10/09, alle 20.30
Arena Civitella • Via Pianelli 1, 66100 CHIETI (CH)

Categoria	Descrizione	Prezzo	Numero
4	Gradinata non Numerata	40,25€	896

B BIGLIETTO

IL VOLO
Arena Civitella

Chieti

ESERCIZIO C

Scrivere 5 attività che fa questa ragazza nel suo tempo libero.

(Write 5 activities that this girl does in her free time.)

1. _____.

2. _____.

3. _____.

4. _____.

5. _____.

ESERCIZIO D

Lavorare con un compagno/una compagna. Fare e rispondere alle seguenti domande.

(Work with a classmate. Ask and answer the following questions.)

1. Quale passatempo preferisci? Perché?

2. Cosa hai fatto il weekend passato?

3. Che cosa farai oggi dopo scuola?

4. Che cosa farai durante le vacanze estive?

5. Da bambino/Da bambina giocavi a carte o ai videogiochi?

Rocca Calascio

Le Cinque Abilità

Ascolto, Lettura, Scrittura, Comunicazione, Cultura

🎧 Ascolto 1/Interpretive Mode

Ascoltare attentamente la conversazione due volte. Poi, rispondere alle 3 domande.

(Listen carefully to the conversation repeated twice. Then, answer the 3 questions.)

1. Quando sarà la partita?
- A. domani sera
- B. questa settimana
- C. fra sette giorni
- D. cinque giorni fa

2. Chi non si sente bene?
- A. Domenico
- B. Carlo
- C. Enrico
- D. Felice

3. Secondo Carlo, quale squadra vincerà?
- A. la sua
- B. la tua
- C. la mia
- D. la vostra

🎧 Ascolto 2/Interpretive Mode

Ascoltare attentamente ogni domanda due volte. Poi, rispondere alle 5 domande.

(Listen carefully to each question repeated twice. Then, answer the 5 questions.)

1.
- A. niente
- B. qualcosa
- C. sempre
- D. tutti

2.
- A. un romanzo
- B. una galleria
- C. una batteria
- D. un teatro

3.
- A. ancora
- B. neppure
- C. nemmeno
- D. mai

4.
- A. in piazza
- B. all'aeroporto
- C. in piscina
- D. al lago

5.
- A. da bambino
- B. in salotto
- C. con il mio fratellino
- D. dai nonni

📖 Lettura/Interpretive Mode

Leggere attentamente il brano e poi, rispondere alle 3 domande.

(Read the passage carefully and then, answer the 3 questions.)

Gabriele D'Annunzio

Gabriele D'Annunzio

Gabriele D'Annunzio, poeta, drammaturgo, romanziere, militare e politico italiano, è nato il 12 marzo 1863 a Pescara, nella regione di Abruzzo. Nell'anno 1881 si è trasferito a Roma, dove ha frequentato l'università *La Sapienza*. Purtroppo, non ha finito i suoi studi universitari perché preferiva dedicare il suo tempo alla scrittura di articoli di giornale. Grazie alla sua attività di giornalista è diventato noto in poco tempo e ha condotto una vita ricca d'avventure e d'amori. Durante la prima guerra mondiale ha combattuto come aviatore in incursioni aeree e politicamente apparteneva al movimento fascista.

Alcuni capolavori di D'Annunzio sono: *Le laudi* (una collezione di poesie), *Francesca da Rimini* e *La figlia di Iorio* (testi teatrali), *Il piacere, Il trionfo della morte, La fiaccola sotto il moggio* e *L'innocente* (romanzi). L'idea principale nelle sue opere è il concetto del mito del «superuomo», cioè un mito non solo della bellezza dell'uomo, ma anche della sua energia eroica. In molti dei suoi lavori, il suo interesse per il mondo spirituale predomina su quello per la realtà sociale. Gabriele D'Annunzio è morto il primo marzo 1938, all'età di 74 anni, a Gardone Riviera in Lombardia.

1. Perché Gabriele D'Annunzio non si è laureato?

    A. Ha scelto un'altra carriera.
    B. Preferiva vendere giornali.
    C. Gli piaceva un'altra università.
    D. Si è dovuto trasferire.

2. Secondo il brano, com'era la vita di Gabriele D'Annunzio?

    A. taciturna
    B. vergognosa
    C. malinconica
    D. avventurosa

3. Di che cosa parla D'Annunzio nei suoi lavori?

    A. degli aerei
    B. delle poesie
    C. dell'uomo
    D. del militare

 ## Scrittura/Interpretive Mode

Come sarà la tua vita tra dieci anni? Scrivere un paragrafo di almeno dieci frasi in italiano.

(What will your life be like in ten years? Write a paragraph of at least ten sentences in Italian.)

 # Comunicazione Orale/
Interpersonal Mode

ESERCIZIO A

Lavorare insieme ad un compagno/una compagna. Fare e rispondere alle seguenti domande.

(Work together with a classmate. Ask and answer the following questions.)

1. Qual è il tuo passatempo preferito?

2. Quante volte sei stato/sei stata in Italia?

3. Quali corsi seguirai l'anno prossimo?

4. Quanti anni avrai tra/fra cinque anni?

5. Preferisci disegnare o dipingere? Perché?

ESERCIZIO B

Lavorare insieme ad un compagno/una compagna. Leggere e commentare le 5 frasi usando le espressioni contenute nella tavola. Ognuno legge e commenta ogni frase.

(Work together with a classmate. Read and comment on the 5 sentences using the expressions in the chart. Each person reads and comments on each statement.)

Sono d'accordo perché . . . I agree because . . .
È vero perché . . . It's true because . . .
Hai ragione perché . . . You are right because . . .
Non sono d'accordo perché . . . I disagree because . . .
Non è vero perché . . . It's not true because . . .
Ti sbagli perché . . . You are wrong because . . .

1. Berrai l'acqua frizzante a pranzo.

2. Insegnerai l'italiano.

3. Qualcuno nella tua famiglia gioca a carte.

4. Da bambino/bambina cantavi al karaoke.

5. Domani farà freddo.

Cultura/Interpretive Mode

Leggere e discutere le seguenti informazioni sull'Abruzzo e poi, completare gli esercizi.
(Read and discuss the following information about Abruzzo and then, complete the exercises.)

1. È una regione dell'Italia centrale.

2. È una regione commerciale e turistica.

3. Il suo capoluogo è L'Aquila. Il simbolo della città è *La Fontana delle 99 cannelle* (o *della Rivera*).

4. La regione è montuosa e collinosa con poca pianura e una stretta fascia di costa.

5. Il monte principale dell'Abruzzo è il Gran Sasso.

6. Gli abitanti dell'Abruzzo sono chiamati «abruzzesi».

7. La regione confina con il Lazio, le Marche, il Molise e il Mar Adriatico.

8. Nel settore agricolo c'è una grande coltivazione di olive e di vite. Alcuni vini pregiati sono *il Montepulciano d'Abruzzo* nelle varietà rosso e rosato e *il Trebbiano d'Abruzzo*.

9. Alcune specialità della regione sono:
   - **i maccheroni alla chitarra**, una pasta tagliata alla base della chitarra
   - **i ravioli**, una pasta quadrata ripiena di formaggio, di carne, di pesce o di verdura
   - **le fregnacce**, una pasta sfoglia tagliata male
   - **il brodetto di pesce**, una zuppa di pesce
   - **i torroni**, un dolce di mandorle tostate con miele, zucchero e uova
   - **le ferratelle**, **le pizzelle**, un dolce fatto con la pasta da biscotti con disegni
   - **i cagionetti**, un dolce natalizio che ha la forma di un raviolo fritto

10. Altre città della regione sono:
    - **Chieti**, nella parte centro-orientale dell'Abruzzo
    - **Pescara**, un porto turistico in posizione centrale
    - **Teramo**, situata nella parte settentrionale dell'Abruzzo

gli spaghetti alla chitarra

i torroni

le pizzelle

Pescara

Sergio Marchionne

11. Alcuni personaggi famosi dell'Abruzzo sono:

- Gabriele D'Annunzio (*poeta/romanziere/politico*, 1863 –1938)
- Ignazio Silone (*scrittore*, 1900 –1978)
- Sergio Marchionne (*amministratore della Fiat Auto e chairman di Chrysler*, 1952–)

 www.regione.abruzzo.it

ESERCIZIO A

Leggere attentamente le 10 frasi e poi, secondo le informazioni sulla cultura, scegliere *Vero* o *Falso*.
(*Read the 10 sentences carefully and then, according to the cultural information, select* **True** *or* **False**.)

1.	L'Aquila è il capoluogo dell'Abruzzo.	Vero	Falso
2.	*La Fontana delle 99 cannelle* è il simbolo de L'Aquila.	Vero	Falso
3.	Gabriele d'Annunzio era uno scienziato.	Vero	Falso
4.	Un prodotto della regione è l'olio d'oliva.	Vero	Falso
5.	Gli abruzzesi sono persone che abitano in Abruzzo.	Vero	Falso
6.	Questa regione non è famosa per i vini.	Vero	Falso
7.	Pescara è un porto turistico.	Vero	Falso
8.	Una specialità abruzzese è *il Gran Sasso*.	Vero	Falso
9.	Non ci sono molte colline in questa regione.	Vero	Falso
10.	È una regione dell'Italia meridionale.	Vero	Falso

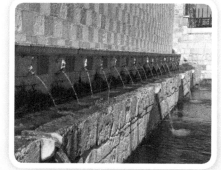
La Fontana delle 99 cannelle

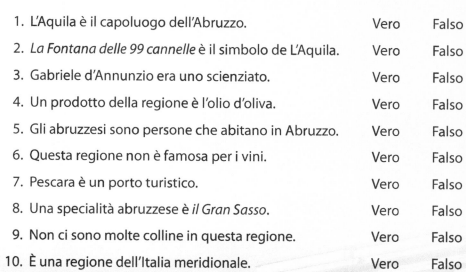

L'Aquila, Piazza del Duomo

ESERCIZIO B

Scegliere le risposte corrette. Fare una ricerca su Internet se necessario.

(Select the correct responses. Do Internet research if necessary.)

1. Ignazio Silone è . . . abruzzese.
    A. un cantante   B. uno scrittore C. un politico   D. uno scienziato

2. Il Montepulciano è . . . di questa regione.
    A. un vino   B. una frutta   C. una verdura D. un formaggio

3. Il significato della parola «aquila» è . . . .
    A. mountain   B. water   C. tower   D. eagle

4. Una specialità abruzzese è . . . .
    A. le orecchiette B. la polenta   C. la ricotta   D. il brodetto di pesce

5. L'Abruzzo faceva parte del . . . prima del 1963.
    A. Molise   B. Lazio   C. Veneto   D. Piemonte

Ignazio Silone

Corno Piccolo

Sito Cinque: Vocabolario

aggettivi

aereo - air

breve - brief

diventato - became

eroico - heroic

fritto - fried

giusto - correct

grande - large; great; famous

mondiale - worldly

pregiato - precious; esteemed

profondo - profound; deep

sociale - social

spirituale - spiritual

universitario - university

altre parole

le parole affermative - affirmative terms (pagina 150, Indice 278)

le parole negative - negative terms (pagina 150, Indice 278)

politicamente - politically

il Lago di Barrea

nomi/sostantivi

l'articolo - article

l'aviatore - aviator

il concetto - concept

il drammaturgo - playwright

il fascismo - fascism

il fascista - fascist

il giornalista - journalist

la guerra - war

l'ideologia - ideology

l'incursione - raid

l'interesse - interest

il mito - myth

la realtà - reality

il romanziere - novelist

il testo - text

verbi

i passatempi - pastimes (pagine 159–160, Indice 279)

appartenere - to belong

combattere - to fight

condurre - to conduct

dare una mano - to give a hand; help

dedicare - to dedicate

predominare - to predominate

trasformare - to transform; change

Termoli

Objectives:

- Form and utilize the present and past progressive tenses of regular and irregular verbs.
- Recognize and use disjunctive (prepositional) pronouns.
- Identify terms relating to travel.
- Locate and discuss characteristics of the region of Molise.

Per chiacchierare:

- What is the difference between the present tense and present progressive tense?
- Why is traveling enriching?
- Do you know many people from Molise? What do they say about this region?

Discuss the proverb:

Chi tardi arriva male alloggia.

He who arrives late finds poor lodging.

Presente progressivo/
Present progressive tense

- The present progressive tense indicates an action that has begun but has not yet been completed in the present. In English, it is formed with the auxiliary verb **to be** conjugated in the present tense (*am, are, is, are, are, are*) and the present participle **-ing** attached to the infinitive.

to look for - *infinitive*	
I am looking for	*we are looking for*
you are looking for	*you are looking for*
he/she/it is looking for	*they are looking for*

- In Italian, the present progressive tense of regular and irregular verbs is formed with the auxiliary verb **stare** (*to be*) conjugated in the present tense (*sto, stai, sta, stiamo, state, stanno*) and the present participles **-ando** for *-are* verbs and **-endo** for *-ere* and *-ire* verbs.

cercare - *to look for*	leggere - *to read*	aprire - *to open*
Sto cerc**ando** gli ingredienti.	**Sto** legg**endo** il giornale.	**Sto** apr**endo** la finestra.
Stai cerc**ando** il passaporto?	**Stai** legg**endo** gli appunti?	**Stai** apr**endo** il regalo?
Sta cerc**ando** una stampante?	**Sta** legg**endo** una rivista.	**Sta** apr**endo** il quaderno.
Stiamo cerc**ando** una ricetta.	**Stiamo** legg**endo** un libro.	**Stiamo** apr**endo** i dizionari.
State cerc**ando** i piattini?	**State** legg**endo** le parole.	**State** apr**endo** le porte?
Stanno cerc**ando** le chiavi.	**Stanno** legg**endo** i romanzi.	**Stanno** apr**endo** gli occhi.

Esempi:

Stai cerc**ando** la valigia?   *Are you looking for the suitcase?*
Sta legg**endo** una rivista.   *He/She is reading a magazine.*
Cosa **state** apr**endo**?   *What are you opening?*

Montagano

- There are 3 common irregular verbs in the progressive tense:

    fare (*stare* + *facendo*)

    bere (*stare* + *bevendo*)

    dire (*stare* + *dicendo*)

fare - *to do; to make*	bere - *to drink*	dire - *to say; to tell*
Sto fac**endo** i compiti.	**Sto** bev**endo** l'acqua.	**Sto** dic**endo** la verità.
Stai fac**endo** la valigia?	**Stai** bev**endo** il latte?	**Stai** dic**endo** una bugia?
Sta fac**endo** una foto.	**Sta** bev**endo** un tè freddo.	**Sta** dic**endo** «grazie».
Stiamo fac**endo** colazione.	**Stiamo** bev**endo** il succo.	**Stiamo** dic**endo** una novità.
State fac**endo** i letti?	**State** bev**endo** il caffè?	**State** dic**endo** un racconto?
Stanno fac**endo** le spese.	**Stanno** bev**endo** la limonata.	**Stanno** dic**endo** un segreto.

Esempi:

Sto facendo i compiti.	*I am doing* my homework.
Emma **sta bevendo** il tè.	*Emma is drinking* tea.
Stai dicendo la verità?	*Are you telling* the truth?

 ESERCIZIO A

Scegliere la forma corretta del verbo in parentesi.
(Select the correct form of the verb in parentheses.)

1. Noi (**stiamo guardando/state guardando**) la tele.

2. Io (**sto scrivendo/sta scrivendo**) un tema per la classe d'inglese.

3. I giocatori (**state correndo/stanno correndo**) adesso.

4. La loro famiglia (**sta costruendo/stanno costruendo**) una casa nuova.

5. Tu e Carmela (**stiamo facendo/state facendo**) una passeggiata nel parco.

6. Perché non (**sta lavando/stai lavando**) tu quei piatti?

 **ATTENZIONE!**

The present progressive tense is used more frequently in English than in Italian.

ESERCIZIO B

Scrivere tre risposte per ogni domanda.
(Write three answers for each question.)

1. Che cosa stai facendo adesso?

   a. _____

   b. _____

   c. _____

2. Cosa sta imparando quello studente/quella studentessa?

   a. _____

   b. _____

   c. _____

3. Cosa stai mangiando?

   a. _____

   b. _____

   c. _____

4. Che cosa stanno cercando i tuoi amici?

   a. _____

   b. _____

   c. _____

Termoli

ESERCIZIO C

Lavorare insieme ad un compagno/una compagna. Fare e rispondere alle seguenti domande.
(Work together with a classmate. Ask and answer the following questions.)

1. Che cosa stai scrivendo?

2. Con chi stai parlando?

3. Cosa sta dicendo il tuo compagno/la tua compagna?

4. Chi non sta ascoltando adesso?

5. Cosa sta bevendo il professore/la professoressa in classe?

Passato progressivo/
Past progressive tense

- The past progressive indicates an action that has begun but has not yet been completed in the past. In English, it is formed with the auxiliary verb **to be** conjugated in the imperfect tense (*was, were, was, were, were, were*) and the present participle **-ing** attached to the infinitive.

to listen (to) - *infinitive*	
I was listening (to)	*we were listening (to)*
you were listening (to)	*you were listening (to)*
he/she/it was listening (to)	*they were listening (to)*

- In Italian, the past progressive tense is formed with the auxiliary verb **stare** (*to be*) conjugated in the imperfect tense (*stavo, stavi, stava, stavamo, stavate, stavano*) and the present participles **-ando** for *-are* verbs and **-endo** for *-ere* and *-ire* verbs.

ascoltare - *to listen (to)*	vincere - *to win*	servire - *to serve*
Stavo ascolt**ando** la musica.	**Stavo** vinc**endo** la partita.	**Stavo** serv**endo** il contorno.
Stavi ascolt**ando** l'Ipod.	**Stavi** vinc**endo**?	**Stavi** serv**endo** il secondo?
Stava ascolt**ando** le notizie.	**Stava** vinc**endo** l'elezione.	**Stava** serv**endo** la frutta.
Stavamo ascolt**ando** Carlo.	**Stavamo** vinc**endo** il gioco.	**Stavamo** serv**endo** il dolce.
Stavate ascolt**ando** Mia?	**Stavate** vinc**endo** poco fa.	**Stavate** serv**endo** le patate.
Stavano ascolt**ando** la radio.	**Stavano** vinc**endo**?	**Stavano** serv**endo** il primo.

Esempi:

Stavo ascolt**ando** la musica.	*I was listening to music.*
Stavi vinc**endo** l'elezione.	*You were winning the election.*
Stavano serv**endo** il primo.	*They were serving the first course.*

⚠ ATTENZIONE!

To conjugate the irregular verbs **fare**, **bere** and **dire** in the past progressive tense, simply conjugate **stare** in the imperfect tense with the present participles *facendo, bevendo,* or *dicendo.*

✕ ESERCIZIO A

Scegliere la forma corretta del verbo in parentesi.
(Select the correct form of the verb in parentheses.)

1. Io (**stavo aspettando/stavamo aspettando**) l'autobus in Via Rossini.

2. Noi (**stavate chiedendo/stavamo chiedendo**) le indicazioni.

3. La giocatrice di tennis (**stava perdendo/stavi perdendo**) la pazienza.

4. I bambini (**stava sorridendo/stavano sorridendo**) per la foto.

5. Voi (**stavate cantando/stavi cantando**) quella canzone abbastanza bene.

6. Tu (**stavi aprendo/stava aprendo**) il frigorifero.

ESERCIZIO B

Scrivere tre risposte per ogni domanda.
(Write three answers for each question.)

1. Che cosa stavi dicendo?

   a. _____

   b. _____

   c. _____

2. Cosa stava scrivendo tuo fratello/tua sorella?

   a. _____

   b. _____

   c. _____

3. Cosa stavi bevendo?

   a. _____

   b. _____

   c. _____

4. Con chi stavate parlando?

   a. _____

   b. _____

   c. _____

ESERCIZIO C

Lavorare insieme ad un compagno/una compagna. Fare e rispondere alle seguenti domande.
(Work together with a classmate. Ask and answer the following questions.)

1. Che cosa stava dicendo il tuo compagno/la tua compagna?

2. Con chi stavi parlando nel corridoio?

3. Cosa stavi facendo mentre insegnava il professore/la professoressa?

4. Chi stavi guardando?

5. Con chi stavi discutendo i voti?

il Molise

Pronomi tonici/Disjunctive (prepositional) pronouns

- Disjunctive pronouns or prepositional pronouns (*pronomi tonici*) are pronouns that usually follow a preposition. Many disjunctive pronouns are the same as subject pronouns except for the first and second person singular forms.

Preposizioni		+	Pronomi tonici	
con - with	**senza** (di) - without		**me** - me	**noi** - us
prima di - before	**dopo** (di) - after		**te** - you	**voi** - you
vicino a - near to	**lontano da** - far from	+	**lui/lei** - him/her	**loro** - them
davanti a - in front of	**dietro** (di) - behind		**Lei** - you	
sopra; su (di) - above; on	**sotto** (di)- under; below			
dentro; in - inside; in	**fuori** - outside			
per - for; through	**a** - to; at			
tra/fra (di) - between; within	**da** - from; by/at the place of			
di - of; about				

 ## ⚠ ATTENZIONE!

The disjunctive (prepositional) pronoun **sé** can mean himself/herself/ yourself/itself/themselves. It is typically preceeded by the preposition "da".

Olivia faceva tutto **da sé**.

*Olivia used to do everything **by herself**.*

Esempi:

Mia nonna abita **con me**.	*My grandmother lives **with me**.*
Siamo arrivati **prima di te**.	*We arrived **before you**.*
Mi piace sedermi **vicino a lui**.	*I like to sit **near him**.*
Chi ci sarà **davanti a lei**?	*Who will be **in front of her**?*
Ho portato un regalo **per Lei**.	*I brought a gift **for you**.*
Questa conversazione è **fra di noi**.	*This conversation is **between us**.*
Quegli studenti parlavano **di voi**.	*Those students were talking **about you**.*
Cosa c'è **dietro di loro**?	*What is **behind them**?*
L'aeroporto sarà **lontano da voi**.	*The airport will be **far from you**.*

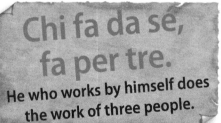 Chi fa da sé, fa per tre.

He who works by himself does the work of three people.

- There are 5 prepositions that require **di** when followed by a disjunctive (prepositional) pronoun.

  1. **dopo (di)** - *after*
     - Gli studenti sono entrati **dopo il professore**.
       Gli studenti sono entrati **dopo di lui**.

  2. **senza (di)** - *without*
     - Siamo andati al cinema **senza Gianna**.
       Siamo andati al cinema **senza di lei**.

  3. **su (di)** - *on*
     - I figli contano **sui genitori**.
       I figli contano **su di loro**.

  4. **sotto (di)** - *under*
     - Abitavano **sotto gli zii**.
       Abitavano **sotto di loro**.

  5. **fra (di)/tra (di)** - *between/among*
     - Al concerto mi sono seduta **tra Marco e Sandra**.
       Al concerto mi sono seduta **tra di loro**.

- The preposition **da** followed by a disjunctive (prepositional) pronoun can mean "at the place of"/"at the home of".

  Esempi:

  - A che ora andrete **da loro** stasera?
    *At what time will you go **to their house** this evening?*

  - Abbiamo festeggiato il mio compleanno **da lei**.
    *We celebrated my birthday **at her house**.*

  - Perché non vieni **da me**?
    *Why don't you come **to my house**?*

ESERCIZIO A

Riscrivere le seguenti frasi usando il pronome tonico corretto.

(Rewrite the following sentences using the correct disjunctive (prepositional) pronoun.)

1. Stavo preparando il secondo per Franca.

2. Carla andrà in discoteca senza di me e senza di te?

3. Quest'anno Angela farà una bella gita con suo marito.

4. Avete dato un regalo di compleanno ai vostri amici?

5. Stamattina abbiamo portato l'auto dal meccanico.

6. Ci piace cenare dai nostri amici.

ESERCIZIO B

Completare le frasi usando le preposizioni e i pronomi tonici in parentesi.

(Complete the sentences using the prepositions and disjunctive (prepositional) pronouns in parentheses.)

1. Pranzo (**with them**) _____ ogni giorno alle tredici.

2. Abbiamo cantato (**at my house**) _____.

3. Stasera il mio amico va in discoteca (**without her**) _____.

4. Chi ha regalato i biglietti (**to all of you**) _____?

5. I signori Lancellotta sono partiti (**after us**) _____.

ESERCIZIO C

Completare le seguenti frasi usando una preposizione e un pronome tonico diverso.

(Complete the following sentences using a preposition and a different disjunctive (prepositional) pronoun.)

1. Stava viaggiando . . .

2. Andrò . . .

3. Giochiamo a pallone . . .

4. Hanno portato . . .

5. Ti piace lavorare . . .

ESERCIZIO D

Lavorare con un compagno/una compagna. Fare e rispondere alle seguenti domande usando i pronomi tonici.

(Work with a classmate. Ask and answer the following questions using disjunctive (prepositional) pronouns.)

1. Quale studente o quali studenti abitano vicino a te?

2. Lavoravi vicino o lontano dai tuoi parenti?

3. Chi si siede davanti a te nella classe d'italiano?

4. Che cosa regalerai al tuo amico/alla tua amica?

5. Dove sei andato/sei andata con i tuoi genitori?

Vocabolario sul viaggiare/Traveling Vocabulary

ESERCIZIO A

Lavorare con un compagno/una compagna. Leggere e imparare le seguenti parole utili sul viaggiare. Infine, completare l'esercizio.

(Work with a classmate. Read and learn the following useful travel terms. Then, complete the exercise.)

All'aeroporto

l'aereo

volare
il volo

decollare
il decollo

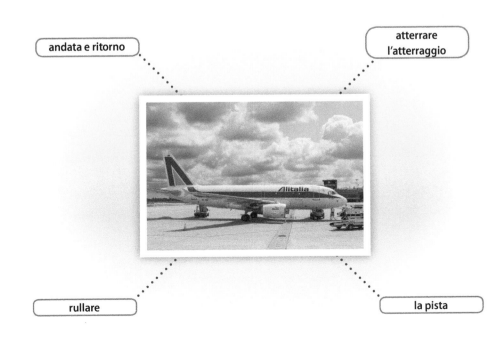

andata e ritorno

atterrare
l'atterraggio

rullare

la pista

il banco

imbarcarsi

il biglietto

il passaporto

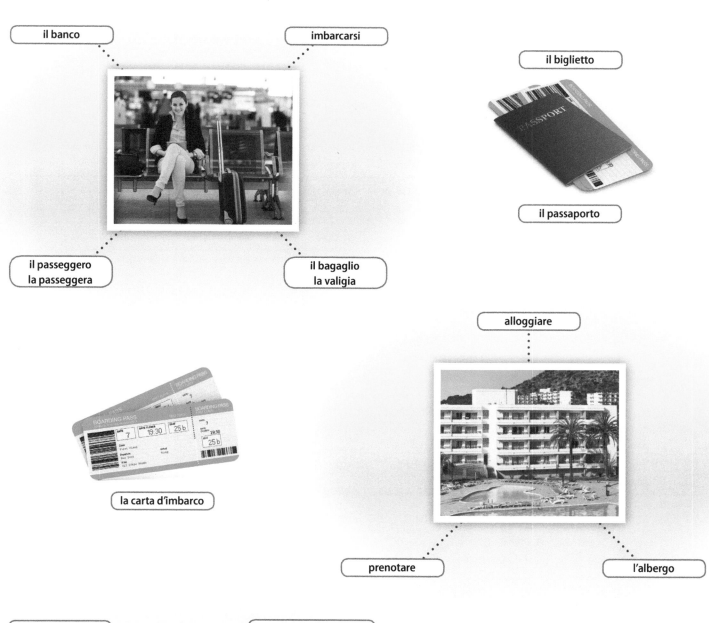

il passeggero
la passeggera

il bagaglio
la valigia

la carta d'imbarco

alloggiare

prenotare

l'albergo

il ricevimento

l'impiegato/l'impiegata

l'aeroporto

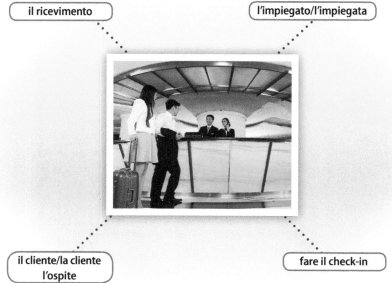

il cliente/la cliente
l'ospite

fare il check-in

il cancello
l'uscita

l'aereo	airplane; plane	il passaporto	passport
l'aeroporto	airport	la passeggera	female passenger
l'albergo	hotel	il passeggero	male passenger
andata e ritorno	round trip	la pista	runway
l'arrivo	arrival	il ricevimento	lobby/reception desk
l'atterraggio	landing	il ritorno	return
il bagaglio	baggage	la sicurezza	security
il bagaglio a mano	carry on bag	l'uscita	exit
il banco	counter	la valigia	suitcase
il biglietto	ticket	il volo	flight
il cancello	gate	allacciarsi la cintura	to fasten the seat belt
la carta d'imbarco	boarding pass	alloggiare	to lodge; stay in a hotel
la cintura	seat belt	atterrare	to land
il/la cliente	client	decollare	to take off
il decollo	take off	fare il check-in	to check-in
gli impiegati	clerks	imbarcarsi	to board
la linea aerea	airline company	prenotare	to reserve
l'ospite	guest	rullare	to taxi
la partenza	departure	volare	to fly

1. Come si dice «**to take off**» in italiano?
   A. atterrare
   B. prenotare
   C. decollare
   D. volare

2. Cosa vuol dire «**il cancello**»?
   A. eraser
   B. gate
   C. luggage
   D. flight

3. Che significa «**il banco**» in inglese?
   A. counter
   B. bank
   C. suitcase
   D. passport

4. Come si dice «**to taxi**»?
   A. imbarcarsi
   B. avvicinarsi
   C. rullare
   D. alloggiare

5. Come si dice «**runway**»?
   A. il decollo
   B. la partenza
   C. l'aereo
   D. la pista

ESERCIZIO B

Leggere e scegliere le risposte corrette per completare il brano.

(Read and select the correct answers to complete the passage.)

Il nonno di Francesco

Il nonno di Francesco odiava andare in macchina. Preferiva viaggiare in aereo con **(1)** . . . e un bagaglio a mano. Arrivava **(2)** . . . tre ore prima della sua partenza perché aveva sempre paura di perdere il **(3)** . . . . Al banco della linea aerea mostrava il suo passaporto e il suo biglietto e riceveva la **(4)** . . . . Poi passava attraverso i controlli di sicurezza, e subito dopo, andava al bar a prendere un espresso e a comprare un giornale. Appena sentiva l'annuncio della sua partenza, si avvicinava al cancello per **(5)** . . . . Era sempre il primo in fila.

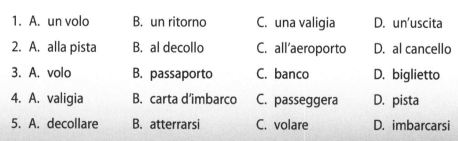

1. A. un volo	B. un ritorno	C. una valigia	D. un'uscita
2. A. alla pista	B. al decollo	C. all'aeroporto	D. al cancello
3. A. volo	B. passaporto	C. banco	D. biglietto
4. A. valigia	B. carta d'imbarco	C. passeggera	D. pista
5. A. decollare	B. atterrarsi	C. volare	D. imbarcarsi

Pietrabbondante

ESERCIZIO C

Lavorare insieme ad un compagno/una compagna. Leggere e imparare il seguente dialogo e poi, presentarlo alla classe.

Work together with a classmate. Read and learn the following dialogue and then, present it to the class.)

L'arrivo all'albergo Petrarca

Impiegato:	Benvenuto a Campobasso, all'albergo Petrarca.
Signor Ruzzo:	Grazie. Ho prenotato una camera singola per due notti.
Impiegato:	Mi potrebbe dire come si chiama, per favore?
Signor Ruzzo:	Ruzzo.
Impiegato:	Sì, l'ho trovato. Signor Ruzzo, va bene per Lei una camera al terzo piano con balcone?
Signor Ruzzo:	C'è l'aria condizionata?
Impiegato:	Purtroppo no. Ma abbiamo una bellissima camera interna, comoda e tranquilla al sesto piano con l'aria condizionata.
Signor Ruzzo:	Perfetto. La prendo. Ecco il passaporto e la carta di credito.

ESERCIZIO D

Guardare l'immagine e poi, completare le frasi usando le parole suggerite.

(Look at the picture and then, complete the sentences using the suggested words.)

alloggeranno	**impiegata**	**ricevimento**
ha prenotato	**fare il check-in**	

1. La coppia _____ una camera in quest'albergo.

2. I clienti _____ in quell'albergo per tre notti.

3. In quest'albergo l'_____ lavora dietro il banco.

4. È obbligatorio _____ prima di andare in camera.

5. La signorina lavora al banco del _____.

Le Cinque Abilità

Ascolto, Lettura, Scrittura, Comunicazione, Cultura

🎧 Ascolto 1/Interpretive Mode

Ascoltare attentamente la conversazione due volte. Poi, rispondere alle 4 domande.

(Listen carefully to the conversation repeated twice. Then, answer the 4 questions.)

1. Cosa sta facendo il fratello di Angela?

A. Sta aiutando sua sorella.

B. Si sta lavando in bagno.

C. Si sta preparando per il viaggio.

D. Sta controllando il volo.

2. Perché Angela non aiuta suo fratello con la valigia?

A. Lei ha sonno.

B. Lei deve lavorare.

C. Lui è in ritardo.

D. Lui è indipendente.

3. Di che cosa è preoccupata la madre?

A. della valigia

B. del passaporto

C. del banco

D. della figlia

4. Chi è Cosimo?

A. il fratello

B. il nipote

C. il marito

D. il padre

Bagnoli del Trigno

Ascoltare attentamente ogni frase due volte. Poi, scegliere la lettera dell'immagine che corrisponde a ciascuna frase.

(Listen carefully to each sentence repeated twice. Then, select the letter of the picture that corresponds to each sentence.)

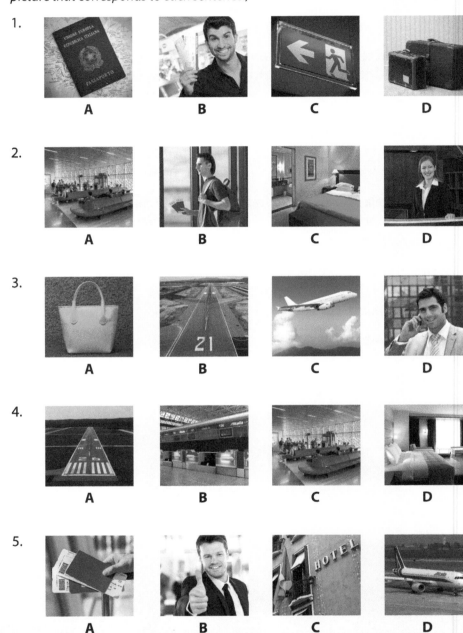

1.

    A   B   C   D

2.

    A   B   C   D

3.

    A   B   C   D

4.

    A   B   C   D

5.

    A   B   C   D

Campobasso

Leggere attentamente il brano e poi, rispondere alle 4 domande.

(Read the passage carefully and then, answer the 4 questions.)

Campobasso

Campobasso è una città di provincia, ed è il capoluogo di una piccola regione collinosa e montuosa nell'Italia centrale, il Molise. La regione confina con l'Abruzzo a nord, con il Mar Adriatico a nord-est, con la Puglia a sud-est e con la Campania a sud. La città è situata a 700 metri sopra il livello del mare e dalle sue vette si possono ammirare panorami pittoreschi e meravigliosi. La città è una privilegiata meta turistica per la sua posizione geografica, per le bellezze naturali e per la sua storia, antica e interessante.

Campobasso è costituita da due parti: quella vecchia in alto e quella moderna in basso. La città vecchia ha una struttura medioevale, con piccole strade strette, vecchie case con scale ampie e una piazza nella zona centrale nel punto più elevato. Campobasso offre attività divertenti per ogni stagione. Chi ama fare alpinismo troverà un ambiente naturale e puro sulle belle montagne molisane. Gli appassionati di mare potranno godere della bellissima costa sul Mar Adriatico. Il turista che cerca servizi di ottima qualità, alberghi comodi e campeggi, troverà tutto in questa provincia. Campobasso, come molti centri del Molise, continua a seguire le sue tradizioni con le feste religiose e con le sagre dei prodotti della sua terra. La festa più bella è quella dell'*Infiorata*, quando i campobassani abbelliscono tutte le piccole strade della città vecchia con fiori freschi e colorati. Le strade vengono trasformate in spettacolari tappeti di fiori.

Alcuni monumenti famosi a Campobasso sono: la Cattedrale dell'anno 1504, distrutta da un terremoto e poi ricostruita nel 1805; il Castello Monforte costruito verso l'anno 1450 su una collina che domina la città; e il Museo del Presepe, dove si trova una grande collezione di presepi antichi.

1. Perché si possono godere panorami eccezionali da Campobasso?
- A. La città si trova sul mare.
- B. I panorami sono vicini.
- C. Il cielo è chiarissimo.
- D. La gente usa binocoli.

2. Com'è l'aria in questa città?
- A. intollerabile
- B. umida
- C. incontaminata
- D. insopportabile

3. Che cos'è l'*Infiorata*?
- A. una celebrazione
- B. una strada
- C. un tappeto
- D. un mare

4. Chi sono i *campobassani*?
- A. i contadini del Molise
- B. gli abitanti di Campobasso
- C. i turisti
- D. gli anziani

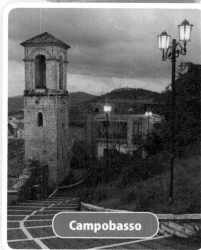

Campobasso

✉ Scrittura/Interpretive Mode and Presentational Mode

Organizzare un viaggio in Italia per due settimane. Creare un opuscolo turistico delle città che visiterai. Includere tra le cose da conoscere: i monumenti, l'arte, la storia e le tradizioni culturali e culinari con una breve descrizione di ognuno.

(Organize a two week trip to Italy. Create a tourist brochure of the cities you will visit. Include items to be familiar with: monuments, art, history, cultural and culinary traditions with a brief description of each.)

💬 Comunicazione Orale/ Interpersonal Mode

💬 ESERCIZIO A

Lavorare insieme ad un compagno/una compagna. Fare e rispondere alle seguenti domande.

(Work together with a classmate. Ask and answer the following questions.)

1. Che cosa stai facendo adesso?

2. Perché non stai dormendo?

3. Chi ti sta aiutando a fare i compiti? Perché?

4. Di che cosa stavate parlando tu e il tuo amico/la tua amica?

5. Dove stavano cercando il cellulare gli studenti?

6. Perché ti stavi arrabbiando?

l'Infiorata

ESERCIZIO B

Fare una conversazione con un compagno/una compagna.

(Converse with a classmate.)

Ti fa una domanda: He/She asks you a question:	Studente 1: **Che cosa stai leggendo?**
Gli/Le rispondi: You answer him/her:	Studente 2:
Ti parla di un problema: He/She talks to you about a problem:	Studente 1: **Io devo ritornare a scuola perché ho dimenticato di portarmi gli appunti.**
Gli/Le chiedi perché e commenti: You ask him/her why and comment:	Studente 2:
Ti dà una spiegazione: He/She gives you an explanation:	Studente 1: **So che senza gli appunti non riuscirò a fare bene sull'esame.**

Rocchetta a Volturno

Cultura/Interpretive Mode

Leggere e discutere le seguenti informazioni sul Molise e poi, completare gli esercizi.

(Read and discuss the following information about Molise and then, complete the exercises.)

1. È una regione dell'Italia centrale.

2. La regione confina con il Lazio, l'Abruzzo, la Campania, la Puglia e il Mar Adriatico.

3. Il suo capoluogo è Campobasso.

4. Gli abitanti del Molise sono chiamati «molisani».

5. Fino al 1963, il Molise faceva parte dell'Abruzzo.

6. È una regione agricola. Grazie alla grandissima quantità di olivi, la produzione dell'olio d'oliva è alta.

7. È una regione ricca di arte, storia, tradizioni, cultura e di gastronomia. L'artigianato è diffuso con le lavorazioni dei metalli, dei tessuti di lana, del legno e del rame. Molte donne ricamano i merletti al tombolo che vengono venduti per le federe, le lenzuola, le tovaglie e per gli asciugamani.

8. Alcune specialità molisane sono:
   - **i cavatelli**, un tipo di pasta
   - **i fischioni**, maccheroni con sugo e formaggio pecorino
   - **le frittate di patate allo zafferano**, uova con patate e con la spezia zafferano
   - **i taralli all'olio d'oliva**, biscotti secchi
   - **la pampanella**, carne di maiale cotta al forno con spezie e peperoncino rosso
   - **la salsiccia di fegato**, fatta con carne, fegato, cuore e polmone di maiale e con il tartufo nero e bianco
   - **la Tintilia**, un vino ben conosciuto

un merletto al tombolo

la pampanella

il tartufo

una frittata di patate allo zafferano

9. Altre città della regione sono: **Agnone**, **Boiano**, **Termoli**, **Isernia** e **Venafro**.

10. Alcuni personaggi famosi del Molise sono:
    - Fred Bongusto (*cantante, 1935 –*)
    - Nicola Iacobacci (*letterario, 1935 –*)
    - Joao Carlos Pecci (*scrittore e chitarrista, 1942 –*)
    - Antonio Cornacchione (*attore e comico, 1959 –*)

il Molise

 **www.regione.molise.it**

ESERCIZIO A

Leggere attentamente le 10 frasi e poi, secondo le informazioni sulla cultura, scegliere *Vero* o *Falso*.

*(Read the 10 sentences carefully and then, according to the cultural information, select **True** or **False**.)*

1. Campobasso è il capoluogo del Molise.	Vero	Falso
2. La salsiccia è un maiale.	Vero	Falso
3. Questa regione è famosa per la produzione dell'olio d'oliva.	Vero	Falso
4. I cavatelli sono una carne.	Vero	Falso
5. Questa regione confina con il Mar Adriatico.	Vero	Falso
6. Il tartufo è un fungo.	Vero	Falso
7. Gli uomini ricamano i merletti al tombolo.	Vero	Falso
8. I molisani sono le persone che abitano nel Molise.	Vero	Falso
9. Boiano è una città di questa regione.	Vero	Falso
10. Venafro è una specialità della regione.	Vero	Falso

Termoli

ESERCIZIO B

Scegliere le risposte corrette. Fare una ricerca su Internet se necessario.

(Select the correct responses. Do Internet research if necessary.)

1. I *fischioni* sono una pasta preparata con . . . .

    A. patate   B. pesce   C. formaggio   D. zafferano

2. Ci sono molti . . . neri e bianchi nel Molise.

    A. olivi   B. maiali   C. peperoncini   D. tartufi

3. *Fred Bongusto* è un . . . di questa regione.

    A. letterario   B. cantante   C. chitarrista   D. attore

4. La salsiccia molisana è fatta con . . . .

    A. patate   B. fegato   C. zafferano   D. biscotti

5. Il Molise non confina con . . . .

    A. la Campania   B. la Puglia   C. l'Umbria   D. l'Abruzzo

il Molise

📖 Sito Sei: Vocabolario

aggettivi

ampio - wide; ample

collinoso - hilly

costituito - constituted

culinario - culinary

diffuso - diffuse; widespread

distrutto - destroyed

esaurito - exhausted

gioviale - cheerful

imperativo - imperative

interno - inside

leggero - light (in weight)

medioevale - medieval

meraviglioso - marvelous

montuoso - mountainous

pittoresco - picturesque

privilegiato - privileged; preferred

ricostruito - reconstructed

rilassato - relaxed

spettacolare - spectacular; exceptional

stretto - tight; narrow

suggerito - suggested

i taralli all'olio d'oliva

nomi/sostantivi

il viaggiare - travel (pagine 180–182, Indice 281)

gli appassionati - passionate people

l'artigianato - handicraft

l'asciugamano - towel

la camera singola - single room

il campeggio - camping

la carta di credito - credit card

il controllo di sicurezza - security check

la federa - pillowcase

la lavorazione - workmanship

il lenzuolo (le lenzuola) - bed sheet(s)

il livello del mare - sea level

la meta - goal; aim

il miglio (le miglia) - mile(s)

l'ospite - guest

il panorama - panorama; view

le parentesi - parentheses

il presepe - nativity scene

il regalo - gift

la sagra - festival

la scala - step; staircase

il terremoto - earthquake

la tovaglia - tablecloth

la vetta - apex; top; tip

verbi

ammirare - to admire

abbellire *(isc)* - to decorate; embellish

godere - to enjoy

lavorare al tombolo - to make lace

manipolare - to manipulate

regalare - to give as a gift

ricamare - to embroider

Sito 7
La Basilicata

Maratea

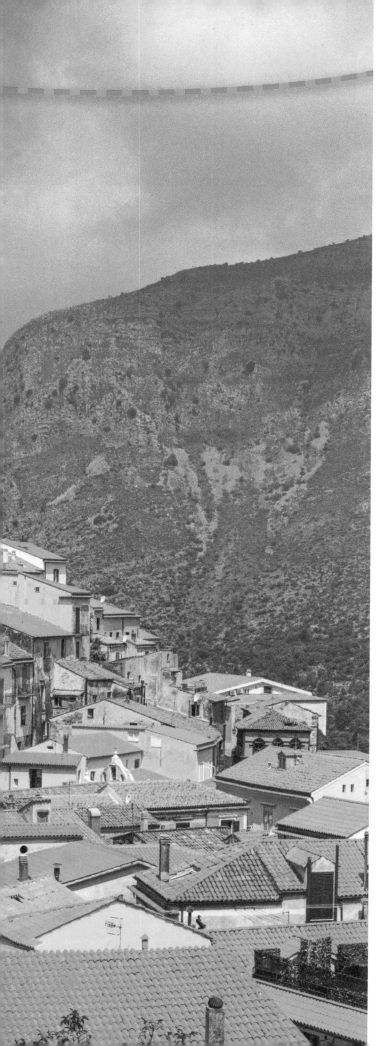

Italia

La Basilicata

Objectives:

- Form and utilize the present conditional tense of regular and irregular verbs.
- Form adverbs.
- Learn about the omission of definite and indefinite articles in certain situations.
- Utilize the term "da" and expressions with "da".
- Identify terms relating to professions.
- Locate and discuss characteristics of the region of Basilicata.

Per chiacchierare:

- If you could choose a career now, what would it be? Why?
- How long have you been attending this school?
- Why do you think the Basilicata region is not well known to tourists?

Discuss the proverb:

Amore, tosse e fumo, malamente si nascondono.

Love, cough, and smoke are hard to hide.

Verbi regolari al condizionale presente/Regular verbs in the present conditional tense

The present conditional tense refers to an action or state that may occur if something else happens or if some condition is met. The term "**would**" and the action word usually indicate an action in the present conditional tense. It is also used to show politeness when making requests.

- Like the future tense, the present conditional tense has **ONE** set of endings for regular and irregular verbs and **ONLY** the last letter of the verb infinitive "e" is dropped before the endings are attached.

- Like the future tense, all **-are** regular verb infinitives become **-ere** in the present conditional tense and are conjugated like **-ere** verbs.

- The endings of the present conditional tense are: **-ei**, **-esti**, **-ebbe**, **-emmo**, **-este**, **-ebbero** and all mean "would".

Here is the conjugation of 3 regular verbs in the present conditional tense:

guadagnare - *to earn*	mettersi - *to put on*	dire - *to say; to tell*
guadagner**ei**	mi metter**ei**	dir**ei**
guadagner**esti**	ti metter**esti**	dir**esti**
guadagner**ebbe**	si metter**ebbe**	dir**ebbe**
guadagner**emmo**	ci metter**emmo**	dir**emmo**
guadagner**este**	vi metter**este**	dir**este**
guadagner**ebbero**	si metter**ebbero**	dir**ebbero**

Esempi:

Quanto **guadagneresti**?	*How much would you earn?*
Noi **ci metteremmo** gli stivali.	*We would put on our boots.*
Io le **direi** la verità.	*I would tell her the truth.*

- Verbs that end in **-care** become **-cher** and verbs that end in **-gare** become **-gher**. In the present conditional tense, the letter **-h** is required in all forms of these verbs to maintain the hard sound.

Esempi:

| Lei non **dimenticherebbe** la data. | *She/You would not forget the date.* |
| Chi **pagherebbe** il conto? | *Who would pay the bill?* |

- Verbs that end in **-ciare** become **-cer** and verbs that end in **-giare** become **-ger**. The letter **-i** is dropped in all forms of these verbs because it is not pronounced.

Esempi:

| Tu lo **baceresti**. | *You would kiss him.* |
| Voi **viaggereste** quest'estate. | *You would travel this summer.* |

- Like other tenses, the two common forms of the verb "to like" (*piacere*) are **piacerebbe** (*terza persona singolare*) and **piacerebbero** (*terza persona plurale*).

> **Esempi:**
> Mi **piacerebbe** una macchina rossa.   *I would like a red car.*
> Ci **piacerebbero** tre biglietti.   *We would like three tickets.*

ESERCIZIO A

Scegliere la forma corretta del verbo in parentesi.
(Select the correct form of the verb in parentheses.)

1. Gli uomini non (**indosserebbe/indosserebbero**) una cravatta.
2. Noi (**alloggeremmo/alloggereste**) in quell'albergo.
3. La donna (**puliresti/pulirebbe**) il salotto.
4. L'avvocato (**lavorerebbe/lavorerei**) nello stesso ufficio con noi.
5. Il cielo (**diventerei/diventerebbe**) grigio.
6. Voi (**cerchereste/cercheresti**) un bel paio di scarpe italiane.
7. Io ti (**telefonerei/telefonerebbe**) ogni giorno.
8. Tu non ti (**sveglieresti/sveglieremmo**) senza la sveglia.

ESERCIZIO B

Scegliere il verbo corretto in parentesi.
(Select the correct verb in parentheses.)

1. I signori Bianchini (**prenoterebbero/prenderebbero**) tre notti.
2. Dove (**capiresti/abiteresti**) in questa regione?
3. A che ora (**ti alzeresti/ti addormenteresti**) sabato mattina?
4. Con che (**paghereste/mangereste**) il conto al ristorante?
5. Io (**dormirei/aprirei**) la porta per loro.

ESERCIZIO C

Trasformare i verbi nelle frasi dal presente progressivo al condizionale presente.
(Change the verbs in the sentences from the present progressive tense to the present conditional tense.)

1. Io **sto aspettando** l'autobus all'angolo.
2. Noi **stiamo parcheggiando** la macchina.
3. Loro **stanno cercando** gli amici.
4. Tu **stai pulendo** la camera da letto.
5. Lui gli **sta servendo** l'antipasto.

Trasformare i verbi nelle frasi dal passato prossimo al condizionale presente.

(Change the verbs in the sentences from the present perfect tense to the present conditional tense.)

1. **Sono partita** per Matera a mezzogiorno.

2. **Ha pagato** cento euro.

3. **Si sono vestite** elegantemente.

4. **Hai letto** *La Divina Commedia* di Dante Alighieri?

5. Quante partite **avete vinto**?

6. Quando **hanno ricevuto** la mail i tuoi professori?

✎ Verbi irregolari al condizionale presente/Irregular verbs in the present conditional tense

Irregular verbs have the same endings as regular verbs in the present conditional tense. However, they are irregular because their stems do not follow a pattern like regular verbs.

Here is a list of irregular verbs in the present conditional tense. Their stems **MUST** be memorized. Note that these irregular stems are the same as the future tense.

Melfi

andare (**andr-**)	Io **andrei** al supermercato.
avere (**avr-**)	Tu **avresti** quindici anni.
dovere (**dovr-**)	Lui **dovrebbe** studiare.
potere (**potr-**)	Lei/Lei non **potrebbe** uscire.
sapere (**sapr-**)	Noi **sapremmo** le risposte.
vedere (**vedr-**)	Voi **vedreste** quei film.
vivere (**vivr-**)	Loro **vivrebbero** cent'anni.

dare (**dar-**)	Io vi **darei** un bel voto.
fare (**far-**)	Tu mi **faresti** una domanda.
stare (**star-**)	Lui/Lei/Lei **starebbe** benissimo.

bere (**berr-**)	Io non **berrei** un'aranciata.
rimanere (**rimarr-**)	Tu **rimarresti** a casa.
venire (**verr-**)	Lui/Lei/Lei non **verrebbe** in moto.
volere (**vorr-**)	Noi **vorremmo** dormire.

essere (**sar-**)	Chi **sarebbe** in palestra?

ESERCIZIO A

Scegliere la forma corretta del verbo in parentesi.
(Select the correct form of the verb in parentheses.)

1. Chi (**andresti/andrebbe**) al mare domani?
2. Io (**vorrei/vorremmo**) assaggiare una focaccia con pepe e origano.
3. (**Berreste/Berresti**) tu l'acqua frizzante con il primo?
4. Tu e Carmine (**vedremmo/vedreste**) un film italiano?
5. Quando (**potrebbe/potresti**) comprare tu una Ducati?
6. I nostri amici (**avrebbe/avrebbero**) molta pazienza.
7. Quale professore (**dareste/darebbe**) un esame il giorno prima delle vacanze?
8. Che cosa (**faresti/farei**) tu con un milione di dollari?
9. Chi (**rimarremmo/rimarrebbe**) con me dopo la lezione?
10. In quale città della Basilicata (**vivrebbe/vivrebbero**) tua cugina Lucia?

ESERCIZIO B

Scegliere il verbo corretto in parentesi.
(Select the correct verb in parentheses.)

1. Io (**starei/farei**) il check-in domani sera.
2. Professoressa, mi (**darebbe/sarebbe**) un buon voto?
3. Chi non (**starebbe/avrebbe**) zitto in classe?
4. Secondo te, perché Marco non (**vedrebbe/verrebbe**) al cinema con noi?
5. Noi (**dovremmo/saremmo**) lavorare bene insieme.

ESERCIZIO C

Lavorare con un compagno/una compagna. Fare e rispondere alle seguenti domande.
(Work with a classmate. Ask and answer the following questions.)

1. Con chi vivresti in Basilicata?
2. Cosa berresti a colazione?
3. Dove andresti in vacanza con la tua famiglia?
4. A che ora saresti pronto/pronta per il ballo?
5. Chi potrebbe darci un passaggio oggi pomeriggio?

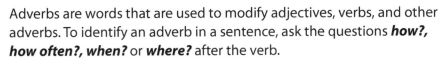

Avverbi/Adverbs

Adverbs are words that are used to modify adjectives, verbs, and other adverbs. To identify an adverb in a sentence, ask the questions **how?, how often?, when?** or **where?** after the verb.

Adverbs have **one** form **ONLY** in English and in Italian. They do not change! In English, most adverbs end in **-ly** and in Italian, most adverbs end in **-mente.**

Matera

> **Esempi:**
> Sua moglie è **elegante**.
> *His wife is **elegant**.* (**elegant** is an adjective because it modifies "wife")
>
> Sua moglie si veste **elegantemente**.
> *His wife dresses **elegantly**.* (**elegantly** is an adverb because it modifies **how** the wife dresses)
>
> Le vostre parole sono **chiare**.
> *Your words are **clear**.* (**clear** is an adjective because it modifies "words")
>
> Voi parlate **chiaramente**.
> *You speak **clearly**.* (**clearly** is an adverb because it modifies **how** you speak)

In Italian, adverbs are formed from three different groups of adjectives:

First group: Adjectives ending in **-o MUST** become feminine singular before attaching the suffix **-mente.**

rapid**o** > rapid**a** > rapida**mente**	Il signore camminava **rapidamente**. *The gentleman used to walk **quickly**.*
silenzios**o** > silenzios**a** > silenziosa**mente**	Gli studenti hanno letto **silenziosamente**. *The students read **silently**.*
ver**o** > ver**a** > vera**mente**	Roberta è **veramente** brava. *Roberta is **really** a great person.*
sfortunat**o** > sfortunat**a** > sfortunata**mente**	**Sfortunatamente** io sono caduta. ***Unfortunately** I fell.*

Second group: Adjective ending in **-le** or **-re**, drop the final **-e** before attaching **-mente.**

possibile > possibil**mente**	Lui potrà usare l'Ipod, **possibilmente**. *He will be able to use the Ipod, **possibly**.*
finale > final**mente**	**Finalmente** sono arrivati in orario. ***Finally** they arrived on time.*
regolare > regolar**mente**	Lui va in palestra **regolarmente**. *He goes to the gym **regularly**.*
particolare > particolar**mente**	Mi piace l'Europa, **particolarmente** l'Italia. *I like Europe, **particularly** Italy.*

Third group: All other adjectives ending in **-e** simply attach **-mente**.

intelligente > intelligente**mente**	La scrittrice ha scritto **intelligentemente**. *The writer wrote **intelligently**.*
felice > felice**mente**	L'artista dipinge **felicemente**. *The artist paints **happily**.*
breve > breve**mente**	Io parlerò **brevemente**. *I will speak **briefly**.*
recente > recente**mente**	Loro sono partiti da Potenza **recentemente**. *They left from Potenza **recently**.*

Here is a list of some common irregular adverbs that do not end in **-mente** in Italian:

adesso - *now*	**male** - *badly*	**quasi** - *almost*
ancora - *yet; still*	**molto** - *very; a lot; much*	**qualche volta** - *sometimes*
bene - *fine; well*	**oggi** - *today*	**sempre** - *always*
di solito - *usually*	**ora** - *now*	**spesso** - *often*
domani - *tomorrow*	**poco** - *a little*	**subito** - *quickly*
dopo - *after*	**poi** - *then*	**tardi** - *late*
già - *already*	**presto** - *early*	**troppo** - *too much*
mai - *never; ever*	**prima** - *first*	

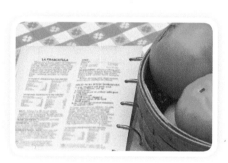

ESERCIZIO A

Scrivere l'avverbio in parentesi in italiano.
(Write the adverb in parentheses in Italian.)

1. Gli uomini guidano (**rapidly**) _____.

2. Lei taglia le verdure (**carefully**) _____.

3. Il mio avvocato mi parla (**sincerely**) _____.

4. Annamaria è (**frequently**) _____ assente.

5. Domani ci sarà (**possibly**) _____ un esame.

Brienza

ESERCIZIO B

Scegliere l'avverbio corretto in parentesi.

(Select the correct adverb in parentheses.)

1. Tu starnutisci (**regolarmente/sinceramente**).
2. Il musicista suona il pianoforte (**meravigliosamente/recentemente**).
3. L'architetto ha disegnato quella casa (**orribilmente/raramente**).
4. I dottori esaminano i loro pazienti (**stranamente/attentamente**).
5. Le mie professoresse spiegavano le lezioni (**possibilmente/chiaramente**).

ESERCIZIO C

Completare ogni frase usando un avverbio irregolare.

(Complete each sentence using an irregular adverb.)

1. Preferisci venire da me _____ o _____?
2. Fate il biglietto _____?
3. Il cantante non canta _____.
4. Il giornalista ha scritto _____ o _____?
5. Non lavorare _____!
6. Non mi svegliavo _____ tardi.
7. Il suo volo è arrivato _____.
8. _____ viaggio con troppo bagaglio.
9. _____ non mi piace il decollo.
10. I turisti _____ alloggiano in un albergo.

Usi speciali dell'articolo determinativo/

Special uses of the definite article

1. When the articles **il** or **la** are used with days of the week, their meaning is "**on**" and the day of the week becomes plural in English.

Esempi:

Oggi è **mercoledì**.	*Today is **Wednesday**.*
Ho un appuntamento **mercoledì**.	*I have an appointment* *on **Wednesday**.*
Non lavoriamo **il mercoledì**.	*We do not work **on Wednesdays**.*
Oggi è **domenica**.	*Today is **Sunday**.*
Lei giocherebbe **domenica**.	*She/You would play **on Sunday**.*
Vado a trovare i nonni **la domenica**.	*I visit my grandparents* *on **Sundays**.*

2. The definite article is used when talking about or referring to a person with a title.

> **Esempi:**
> **Il** signor Bucci insegnava la storia. *Mr. Bucci used to teach History.*
> **La** dottoressa Martino è molto brava. *Doctor Martino is a fine person.*

3. The definite article is **dropped** when talking directly to a person with a title.

> **Esempi:**
> Buonasera, signor Bucci. *Good evening, Mr. Bucci.*
> Dottoressa Martino, Lei è molto brava. *Doctor Martino, you are a great person.*

4. The definite article is **dropped** after the verb to speak (*parlare*) and the preposition in (*in*) when talking about a language.

However, when the verb to speak (*parlare*) is modified by an adverb, the definite article is required with a language.

> **Esempi:**
> Il signor Bucci parla **inglese**. *Mr. Bucci speaks English.*
> La Dott.ssa Martino scrive **in** tedesco. *Dr. Martino writes in German.*
>
> Il Sig. Bucci non parla **bene l'**inglese. *Mr. Bucci does not speak English well.*
>
> La Dott.ssa Martino parla **bene il** tedesco. *Dr. Martino speaks German well.*

5. The definite article is **dropped** when a noun is used as an adjective. The structure "**di**" and **the noun** is required.

> **Esempi:**
> Lei ha bisogno di una dozzina **di uova**.
> *She needs a dozen of eggs.*
>
> Abbiamo voglia di una tazza **di caffè**.
> *We feel like having a cup of coffee.*
>
> Vorrei comprare un paio **di scarpe**.
> *I would like to buy a pair of shoes.*
>
> Riceverai una nuova giacca **di pelle**?
> *Will you get (receive) a new leather jacket?*

ESERCIZIO A

Completare ogni frase usando l'articolo determinativo o una preposizione. Segnare con una crocetta (X) se l'articolo determinativo o la preposizione non è necessaria.

(Complete each sentence using the definite article or a preposition. Place an (X) if the definite article or preposition is not necessary.)

1. Avevo intenzione di comprare un paio _____ stivali neri.

2. Buonasera, _____ avvocato Rossini!

3. Loro lavorano sempre _____ giovedì.

4. Piacere di fare la Sua conoscenza, _____ professoressa Lindia!

5. Ci piacerebbe parlare frequentemente _____ cinese.

6. Ho un appuntamento _____ sabato alle diciassette.

7. _____ preside Crudale non abita in questa regione.

8. Quando ero bambino, parlavo _____ italiano e _____ spagnolo.

Usi speciali della preposizione «da»/
Special usage of the preposition "for"

The present tense with the preposition "**da**" describes an action that began in the past and is still going on in the present.

• There are two ways to ask the question *How long . . . ?*

    Da quando + verb in the present tense + rest of the question?

    Da quanto tempo + verb in the present tense + rest of the question?

Matera

- To answer the question, a verb in the present tense + **da** + period of time is needed.
  Esempi:

Da quando parlate inglese? **Da quanto tempo** parlate inglese?	Parliamo inglese **da** un anno.
How long have you been speaking English?	*We have been speaking English for a year.*
Da quando dorme? **Da quanto tempo** dorme?	Dorme **da** venti minuti.
How long has he/she been sleeping?	*He/She has been sleeping for twenty minutes.*
Signora Ciarlo, **da quando** viaggia? Signora Ciarlo, **da quanto tempo** viaggia?	Viaggio **da** tre settimane.
Mrs. Ciarlo, how long have you been traveling?	*I have been traveling for three weeks.*
Da quando mi aspetti? **Da quanto tempo** mi aspetti?	Ti aspetto **da** poco.
How long have you been waiting for me?	*I have been waiting for you for a little while.*
Da quando rulla l'aereo? **Da quanto tempo** rulla l'aereo?	Rulla **da** dieci minuti.
How long has the plane been taxiing?	*It has been taxiing for ten minutes.*

 ## ESERCIZIO A

Lavorare con un compagno/una compagna. Fare e rispondere alle seguenti domande.
(Work with a classmate. Ask and answer the following questions.)

1. Da quanto tempo giochi a calcio?
2. Da quanto tempo abita la tua famiglia in questo paese o in questa città?
3. Da quanto tempo parli italiano?
4. Da quando suoni la chitarra?
5. Da quando guidi?
6. Da quando insegna il tuo professore/la tua professoressa d'italiano?

ESERCIZIO B

Completare ogni frase usando la preposizione «da» e una varietà di verbi.
(Complete each sentence using the preposition "for" and a variety of verbs.)

1. Gli avvocati _____.
2. L'impiegato _____.
3. Io _____.
4. Tu e il tuo cliente _____.
5. Io e la mia amica _____.

Matera

Vocabolario sulle professioni/
Vocabulary on professions

ESERCIZIO A

Lavorare con un compagno/una compagna. Leggere e imparare le seguenti parole utili sulle professioni. Infine, completare l'esercizio.

(Work with a classmate. Read and learn the following useful profession terms. Then, complete the exercise.)

l'architetto - *architect*	**il giudice** - *judge*
l'artista - *artist (m. & f.)*	**l'ingegnere** - *engineer*
l'astronauta - *astronaut*	**il medico** - *doctor*
l'attore/l'attrice - *actor/actress*	**il/la musicista** - *musician*
l'avvocato/l'avvocatessa - *lawyer*	**il/la pilota** - *pilot*
il banchiere - *banker*	**il pittore/la pittrice** - *painter*
il cameriere/la cameriera - *waiter/ waitress*	**il poeta/la poetessa** - *poet*
il/la cantante - *singer*	**il poliziotto/la poliziotta** - *police officer*
il/la cronista - *reporter*	**il pompiere** - *firefighter*
il cuoco/la cuoca - *chef*	**il/la preside** - *principal*
il/la dentista - *dentist*	**lo scrittore/la scrittrice** - *writer*
il direttore/la direttrice - *executive; manager*	**lo scultore** - *sculptor*
il/la farmacista - *pharmacist*	**la segretaria** - *secretary*
il/la giornalista - *journalist*	

un artista
uno scultore
un pittore

un archittetto

un'attrice
una cantante

uno scrittore
un poeta

un musicista
un cantante

Michelangelo
Buonarroti

Andrea Palladio

Sofia Loren

Dante Alighieri

Andrea Bocelli

un pittore
uno scultore
un ingegnere

un musicista
uno scrittore
uno scienziato

Leonardo da Vinci

una cameriera

un'astronauta

una pilota

una/un giornalista

un cameriere

un astronauta

un pilota

un/una cronista

un banchiere

una cuoca

una poliziotta

una dentista

una segretaria

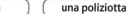

un cuoco

un poliziotto

un dentista

un giudice
un avvocato

un pompiere

1. Come si dice «**chef**» in italiano?
   A. la cameriera B. l'astronauta C. la cuoca D. il pilota

2. Cosa vuol dire «**un pompiere**»?
   A. a banker B. a fireman C. a policeman D. a lawyer

3. Che significa «**un cronista**» in inglese?
   A. a reporter B. a secretary C. a sculptor D. a waiter

4. Come si dice «**a scientist**»?
   A. un avvocato B. un poeta C. uno scrittore D. uno scienziato

5. Come si dice «**a judge**»?
   A. un ingegnere B. un poliziotto C. un giudice D. un dentista

ESERCIZIO B

Abbinare in modo logico le professioni nella Colonna A con le frasi della Colonna B.
(Match logically the professions in Column A with the sentences in Column B.)

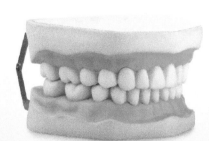

Colonna A	Colonna B
1. _____ Uno scultore	A. aggiusta i denti
2. _____ Un/Una giornalista	B. lavora in un ufficio
3. _____ Un pompiere	C. prepara dei pranzi speciali
4. _____ Un/Una dentista	D. scrive i libri
5. _____ Un architetto	E. lavora in una banca
6. _____ Una segretaria	F. serve i pranzi
7. _____ Un cameriere/Una cameriera	G. disegna degli edifici
8. _____ Un banchiere	H. scolpisce le statue
9. _____ Un cuoco/Una cuoca	I. spegne gli incendi/i fuochi
10. _____ Uno scrittore/Una scrittrice	J. scrive per un giornale

 ESERCIZIO C

Scrivere tre parole diverse associate alle seguenti professioni.

(Write three different words associated with the following professions.)

1. una cantante – _____

2. un astronauta – _____

3. un'attrice -_____

4. un medico – _____

5. un poliziotto – _____

 ESERCIZIO D

Elencare le parole nella categoria appropriata.

(List the words in the appropriate category.)

la legge	volare	il liceo	l'aereo
la medicina	atterrare	litigare	le regole
la voce	il cliente	le pillole	la ricetta medica
il flauto	disciplinare	il pianoforte	

l'avvocato	il preside	il pilota	la farmacista	la musicista

Maratea

ESERCIZIO E

Leggere attentamente il dialogo e poi, completarlo con le risposte corrette.

(Read the dialogue carefully and then, complete it with the correct responses.)

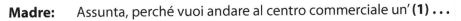

Madre: Assunta, perché vuoi andare al centro commerciale un' **(1)** ... volta?

Assunta: **(2)** ... comprare un vestito elegante per il ballo di sabato sera.

Madre: Hai tutti **(3)** ... bei vestiti. Perché non ti metti uno di quelli?

Assunta: Vorrei fare una bellissima figura. Il preside ci **(4)** ... che questo ballo sarà ufficiale e tutti dobbiamo vestirci **(5)** ... .

Madre: Allora, perché non **(6)** ... metti il vestito rosso?

Assunta: Mamma, sai **(7)** ... quanto tempo ho quel vestito?

Madre: Figlia mia, **(8)** ... hai comprato l'anno scorso! È ancora nuovo ed è ancora di **(9)** ... !

1. A. prima	B. questa	C. ultima	D. altra
2. A. Volevo	B. Ho voluto	C. Vorrei	D. Sto volendo
3. A. quei	B. quelli	C. quegli	D. quello
4. A. ha dato	B. ha detto	C. ha portato	D. ha preso
5. A. male	B. brevemente	C. già	D. elegantemente
6. A. si	B. ci	C. ti	D. mi
7. A. per	B. da	C. con	D. di
8. A. l'	B. li	C. le	D. la
9. A. carta	B. postale	C. moda	D. carne

degli attaccapanni

Le Cinque Abilità

Ascolto, Lettura, Scrittura, Comunicazione, Cultura

🎧 Ascolto 1/Interpretive Mode

Ascoltare attentamente il brano due volte. Poi, rispondere alle 3 domande.

(Listen carefully to the passage repeated twice. Then, answer the 3 questions.)

1. Chi fa il cuoco?
- A. uno dei nipoti
- B. i tre nipoti
- C. il figlio del proprietario
- D. il fratello del cameriere

2. Cosa fa uno dei proprietari?
- A. Va al supermercato.
- B. Fa il cameriere.
- C. Lavora in banca.
- D. Pranza con gli altri camerieri.

3. Quanti giorni è chiuso il ristorante durante la settimana?
- A. due
- B. Non è mai chiuso.
- C. uno
- D. È chiuso mezza giornata.

Matera

Ascoltare attentamente ogni frase due volte. Poi, scegliere la lettera dell'immagine che corrisponde a ciascuna frase.

(Listen carefully to each sentence repeated twice. Then, select the letter of the picture that corresponds to each sentence.)

1.

   A   B   C   D

2.

   A   B   C   D

3.

   A   B   C   D

4.

   A   B   C   D

Castelmezzano

5.

   A   B   C   D

Leggere attentamente il dialogo e poi, rispondere alle 5 domande.

(Read the dialogue carefully and then, answer the 5 questions.)

La presentazione di Carla

Carla: Paolo, devo scegliere un personaggio famoso e poi devo fare una presentazione di cinque minuti davanti alla classe d'italiano. Sono molto nervosa.

Paolo: Scegli Leonardo da Vinci perché puoi trovare un sacco d'informazioni su di lui. Lui era artista, inventore, scienziato, ingegnere, architetto, pittore, scultore e musicista.

Carla: Hai ragione. Ho letto che gli dava molta soddisfazione esplorare quasi ogni campo scientifico e ha disegnato mezzi di trasporto come la bicicletta e l'elicottero molti anni prima del loro brevetto.

Paolo: Sì, ha inventato tante cose che usiamo ogni giorno, per esempio, le forbici! E poi è anche conosciuto per la *Monna Lisa (La Gioconda)* e l'*Ultima Cena*.

Carla: Sai che lui ha dedicato dieci anni della sua vita a completare il sorriso della *Monna Lisa*?

Paolo: Brava, Carla, vedo che già sai molto su da Vinci. Secondo me, prenderai un bel voto per questa ricerca. Scrivi tutti i fatti di cui abbiamo parlato e poi ripassa tutto due o tre volte prima della presentazione. In bocca al lupo!

Carla: Crepi il lupo! La nostra discussione è stata molto utile. Scrivo tutto appena ritorno a casa. Ti ringrazio di cuore.

La Gioconda, Leonardo da Vinci

1. Perché Carla è nervosa?
- A. Non ha molti compiti da fare.
- B. Non le piace da Vinci.
- C. Deve disegnare la *Monna Lisa*.
- D. Deve presentare qualcosa alla classe.

2. Secondo Paolo, da Vinci è una buona scelta per il progetto perché . . . .
- A. ha inventato molte cose
- B. è un amico di Michelangelo
- C. è uno scrittore molto famoso
- D. ha fatto molte presentazioni

3. Quale invenzione di da Vinci è utile tutti i giorni?
- A. la chiesa a Milano
- B. le labbra della *Monna Lisa*
- C. un dipinto che mettiamo in cucina
- D. un oggetto usato per tagliare

4. Secondo Paolo, cosa dovrà fare Carla per prendere un bel voto?
- A. fare pratica
- B. andare in bicicletta
- C. parlare con il professore
- D. controllare su Facebook

5. Alla fine della conversazione con Paolo, Carla è più . . . .
- A. stanca
- B. agitata
- C. tranquilla
- D. confusa

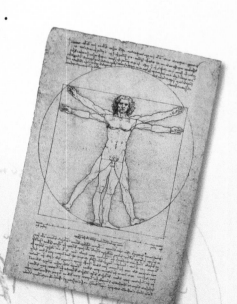

Scrittura/Interpretive Mode and Presentational Mode

Cosa faresti con un milione di dollari? In che modo aiuteresti i membri della tua famiglia, i tuoi amici e la tua comunità?

(What would you do with a million dollars? How would you help the members of your family, your friends and your community?)

Comunicazione Orale/
Interpersonal Mode

ESERCIZIO A

Lavorare insieme ad un compagno/una compagna. Fare e rispondere alle seguenti domande.

(Work together with a classmate. Ask and answer the following questions.)

1. Quale professione ti piacerebbe seguire? Perché?

2. Secondo te, quale professione o quali professioni sono pericolose?

3. Conosci il preside/la preside del tuo liceo? Da quanto tempo lo/la conosci?

4. Secondo te, chi guadagna più soldi, un avvocato o un giudice?

5. Dove parli italiano e con chi?

6. Cosa fa un astronauta?

ESERCIZIO B

Lavorare insieme ad un compagno/una compagna. Leggere e commentare le cinque frasi usando le espressioni contenute nella tavola. Ognuno legge e commenta ogni frase.

(Work together with a classmate. Read and comment on the five sentences using the expressions in the chart. Each person reads and comments on each statement.)

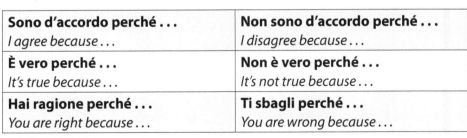

Sono d'accordo perché . . . *I agree because . . .*	Non sono d'accordo perché . . . *I disagree because . . .*
È vero perché . . . *It's true because . . .*	**Non è vero perché . . .** *It's not true because . . .*
Hai ragione perché . . . *You are right because . . .*	**Ti sbagli perché . . .** *You are wrong because . . .*

1. Tu studi l'italiano da dieci anni.

2. Una cameriera lavora in un ristorante.

3. Ti piacerebbe fare il pompiere.

4. Conosci Sofia Loren, una famosa attrice italiana.

5. Un pittore suona il pianoforte.

Pisticci

Cultura/Interpretive Mode

Leggere e discutere le seguenti informazioni sulla Basilicata e poi, completare gli esercizi.

(Read and discuss the following information about Basilicata and then, complete the exercises.)

1. È una regione dell'Italia meridionale.

2. Il suo capoluogo è Potenza. Confina con la Calabria, la Campania, la Puglia, il Mar Ionio e il Mar Tirreno.

3. Gli abitanti della Basilicata sono chiamati «lucani».

4. È una regione agricola e industriale.

5. Alcuni piatti della Basilicata ben noti sono:

   - **la strazzata**, una focaccia fatta con pepe e origano
   - **la lucanica**, un tipo di salsiccia
   - **la frascatula**, una varietà di polenta

6. Altre città della regione sono:

   - **Matera**, conosciuta per gli storici rioni Sassi
   - **Melfi**, un importante centro industriale con numerose imprese
   - **Pisticci**, dove si celebra la festa di San Rocco tra il 15 e il 18 agosto
   - **Policoro**, situata in una fertile pianura

7. Un personaggio famoso della Basilicata è:

   - Lina Wertmüller (*regista*, 1926–)

 **www.regione.basilicata.it**

Melfi

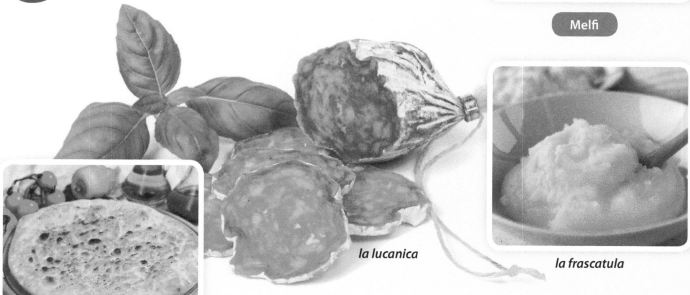

la lucanica

la frascatula

la strazzata

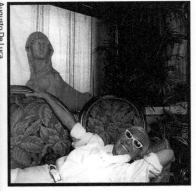

Augusto De Luca

Lina Wertmüller

ESERCIZIO A

Leggere attentamente le 10 frasi e poi, secondo le informazioni sulla cultura, scegliere *Vero* o *Falso*.

*(Read carefully the 10 sentences and then, according to the cultural information, select **True** or **False**.)*

1.	Policoro è il capoluogo della Basilicata.	Vero	Falso
2.	La Basilicata confina con la Sicilia.	Vero	Falso
3.	La città di Pisticci si trova in Basilicata.	Vero	Falso
4.	La Basilicata è una regione industriale e agricola.	Vero	Falso
5.	La Basilicata è una regione settentrionale.	Vero	Falso
6.	Matera è un tipo di salsiccia.	Vero	Falso
7.	Lina Wertmüller è una scrittrice della Basilicata.	Vero	Falso
8.	I lucani sono gli abitanti della Basilicata.	Vero	Falso
9.	La polenta è una specialità di questa regione.	Vero	Falso
10.	La *frascatula* è una focaccia fatta con pepe e origano.	Vero	Falso

ESERCIZIO B

Scegliere le risposte corrette. Fare una ricerca su Internet se necessario.

(Select the correct responses. Do Internet research if necessary.)

la polenta

1. La città dei *Sassi* è . . . .
A. Policoro   B. Melfi   C. Potenza   D. Matera

2. La *lucanica* è . . . .
A. una pasta   B. una carne   C. un pane   D. un dolce

3. Il capoluogo della Basilicata è . . . .
A. Potenza   B. Matera   C. Melfi   D. Pisticci

4. La Basilicata confina con la Calabria, la Campania, . . . , il Mar Ionio e con il Mar Tirreno.
A. il Lazio   B. la Toscana   C. la Puglia   D. il Molise

5. . . . è un tipo di pane fatto con pepe e origano.
A. *La strazzata*   B. *La lucanica*   C. *La polenta*   D. *La frascatula*

aggettivi

breve - brief

chiaro - clear

elegante - elegant

fortunato - lucky

particolare - particular

perfetto - perfect

rapido - rapid; fast

recente - recent

regolare - regular

sfortunato - unlucky

silenzioso - silent

nomi/sostantivi

le professioni - professions (pagine 206–207, Indice 279)

gli attaccapanni - clothes hangers

il brevetto - patent

il campo - field (career)

l'elicottero - helicopter

le forbici - scissors

la lana - wool

il legno - wood

il metallo - metal

la multa - fine

il personaggio - character

il pianoforte - piano

il rame - copper

il sorriso - smile

il tessuto - cloth

espressioni

un sacco di - a lot of

in bocca al lupo - good luck

crepi il lupo - thank you

verbi

aggiustare - to fix; adjust

andare a trovare - to visit (someone)

disciplinare - to discipline

disegnare - to design; draw

esplorare - to explore

fare bella figura - to impress

guadagnare - to earn

inventare - to invent

litigare - to litigate

nascondersi - to hide oneself

rappresentare - to perform; represent

recitare - to perform; act

ripassare - to review

scolpire *(isc)* - to sculpt

spegnere - to extinguish; to put out (fire)

Montescaglioso

Sito 8
La Valle d'Aosta

Aosta

La Valle d'Aosta

Italia

Objectives:

- Recognize and use possessive pronouns.
- Utilize verbs that are followed by prepositions.
- Learn some musical terms.
- Locate and discuss characteristics of the region of Valle d'Aosta.

Per chiacchierare:

- What are some Italian musical terms and what do they mean?
- Are you a possessive person? In what way?
- What sport is popular in Valle d'Aosta? Why?

Discuss the proverb:

Cambiano i suonatori ma la musica è sempre quella.

The melody has changed but the song remains the same.

Pronomi possessivi/Possessive pronouns

Possessive pronouns are words that take the place of nouns and show ownership or possession.

Here are the English possessive pronouns and their Italian equivalents:

English:	maschile singolare	Maschile plurale	Femminile singolare	Femminile plurale
mine	il mio	i miei	la mia	le mie
yours (singolare informale)	il tuo	i tuoi	la tua	le tue
his/hers	il suo	i suoi	la sua	le sue
yours (singolare formale)	il Suo	i Suoi	la Sua	le Sue
ours	il nostro	i nostri	la nostra	le nostre
yours (plurale informale e formale)	il vostro	i vostri	la vostra	le vostre
theirs	il loro	i loro	la loro	le loro

1. In Italian possessive pronouns are identical to possessive adjectives, however:

   - possessive pronouns are **NEVER** used with nouns
   - possessive adjectives are **ALWAYS** used with nouns

   Esempi:
   *My dishes are old; **yours** are new.*
   I miei piatti sono vecchi; **i tuoi** sono nuovi.
   (**My** is a possessive adjective because it modifies the noun **dishes**; **yours** is a possessive pronoun because it refers back to the noun **dishes**).

   ***His** glass is full and **mine** is empty.*
   Il suo bicchiere è pieno e **il mio** è vuoto.
   (**His** is a possessive adjective because it modifies the noun **glass**; **mine** is a possessive pronoun because it refers back to the noun **glass**).

2. Possessive pronouns **MUST** always agree in gender and number with the noun they replace.

   Esempi:
   *I have **your** napkin.*   Io ho **il tuo tovagliolo**. (adjective)
   *I have **yours**.*   Io ho **il tuo**. (pronoun)

   *You have **my** fork.*   Tu hai **la mia forchetta**. (adjective)
   *You have **mine**.*   Tu hai **la mia**. (pronoun)

3. Possessive pronouns require definite articles even with singular family members.

*We like **our** uncle.*	Ci piace **nostro zio**. (adjective)
*We like **ours**.*	Ci piace **il nostro**. (pronoun)
*How is **your** sister?*	Come sta **tua sorella**? (adjective)
*How is **yours**?*	Come sta **la tua**? (pronoun)

4. Possessive pronouns usually do not require definite articles after the verb "essere" (*to be*).

*This is **his/her** report card.*	Questa è **la sua pagella**. (adjective)
*This is **his/hers**.*	Questa è **sua**. (pronoun)

 ESERCIZIO A

Riscrivere le seguenti frasi con i pronomi possessivi.
(Rewrite the following sentences with possessive pronouns.)

1. Non aprire il suo zaino! _____

2. Non fare il tuo letto! _____

3. Pulisci la tua camera da letto! _____

4. Mio fratello è molto generoso. _____

5. Queste sono le loro scarpe. _____

 ESERCIZIO B

Lavorare con un compagno/una compagna. Fare e rispondere alle seguenti domande usando i pronomi possessivi. Seguire l'esempio.
(Work with a classmate. Ask and answer the following questions using possessive pronouns. Follow the example.)

Esempio: Chi ha il tuo libro? *Maria ha **il mio**.*

1. Questo è il tuo esame? _____

2. Chi è la tua cantante preferita? _____

3. Qual è vostro fratello? _____

4. Perché loro hanno la sua macchina? _____

5. Di chi è questo zaino? _____

Verbi seguiti dalle preposizioni «a» e «di»/Verbs followed by the prepositions "to" and "of"

In Italian, certain verbs require the prepositions "**a**" or "**di**" when followed by an infinitive. These verbs and prepositions must be memorized.

Here are some verbs that take the preposition "**a**" in Italian:

andare a - *to go*	A che ora **andavi a** lavorare?
aiutare a - *to help*	Il nostro professore ci **aiuta a** fare i compiti.
(in)cominciare a - *to start*	I musicisti **cominceranno a** suonare fra dieci minuti.
divertirsi a - *to enjoy (oneself)*	Noi **ci stiamo divertendo a** giocare a pallavolo.
imparare a - *to learn*	Io **imparerei a** suonare il flauto.
insegnare a - *to teach*	Voi mi **insegnereste a** nuotare meglio.
invitare a - *to invite*	Il preside mi **ha invitato a** fare una presentazione.
pensare a - *to think about*	Non **ho pensato ad** invitarla.
provare a - *to try*	**Provo a** sollevare i pesi ogni due giorni.
riuscire a - *to succeed*	Loro **riusciranno a** diplomarsi quest'anno.
venire a - *to come*	La mia famiglia **è venuta a** trovarmi in Valle d'Aosta.

il Monte Cervino

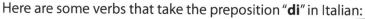

la Scala, Milano

Here are some verbs that take the preposition "**di**" in Italian:

avere bisogno di - *to need*	Lo studente **ha bisogno di** prendere appunti.
avere paura di - *to be afraid of*	Franco, non **avere paura di** parlare in italiano!
avere intenzione di - *to intend*	**Avevate intenzione di** ritornare in albergo alle venti.
avere voglia di - *to feel like*	Chi **ha voglia di** prendere un gelato alla fragola?
cercare di - *to try*	Tutti **cercheranno di** capire questi verbi irregolari.
decidere di - *to decide*	Che cosa **hanno deciso di** fare?
dimenticare di - *to forget*	Non **dimenticate di** ringraziare la nonna!
dire di - *to say; tell*	Gli **ho detto di** mettere in ordine la sua camera da letto.
finire di - *to finish*	Il cuoco **finirà di** preparare il primo piatto subito.
pensare di - *to plan*	A che ora **pensi di** arrivare in Valle d'Aosta?
smettere di - *to stop*	Bambini, **smettete di** suonare la batteria adesso!
sognare di - *to dream*	**Stavo sognando di** cantare un'aria al Teatro alla Scala.
sperare di - *to hope*	**Speriamo di** ricevere bei voti quest'anno.
suggerire di - *to suggest*	I genitori ci **hanno suggerito di** non andare in moto.
non vedere l'ora di - *to look forward to*	Non **vediamo l'ora di** assaggiare il cibo valdostano!

la tartiflette

ESERCIZIO A

Mettere in ordine le seguenti parole per formare frasi logiche.

(Put the following words in order to form logical sentences.)

1. venire / venerdì / Maria / non / lavorare /può / a / prossimo .
2. concerto / di / l'ora / non / andare / vediamo / al .
3. lei / di / ordinare / solo / aveva / un / voglia/ secondo .
4. studiare / a / perché / con / in / siete / biblioteca/ venuti/ me/ non ?
5. provato / ieri / volte / due / ho / sera/ a / telefonarti .

ESERCIZIO B

Completare le seguenti frasi con una preposizione e un infinito.

(Complete the following sentences with a preposition and an infinitive.)

1. I miei professori suggeriscono . . .
2. Noi siamo riusciti . . .
3. Voi avrete intenzione . . .
4. Cosa speri . . .

 ## ESERCIZIO C

Scegliere il verbo giusto dalla lista per completare le seguenti frasi.

(Select the correct verb from the list to complete the following sentences.)

abbiamo deciso di	ti sei divertito a	smettere di
hanno dimenticato di	sognavo di	

1. Quando frequentavo le elementari _____ diventare uno scienziato.
2. I loro fratelli _____ mettere i quaderni nello zaino.
3. _____ fare le prenotazioni all'albergo Stella.
4. Deve _____ parlare al cellulare perché il film sta per iniziare.
5. _____ fare karatè?

ESERCIZIO D

Con un compagno/una compagna, leggere e imparare il seguente dialogo e poi, presentarlo alla classe.

(With a classmate, read and learn the following dialogue and then, present it to the class.)

Una conversazione fra una nonna e suo nipote.

Nipote: Nonna, ogni volta che andiamo al mare, ho notato che non nuoti mai. Perché? Non ti piace fare il nuoto?

Nonna: Tesoro, adoro il nuoto. Infatti ho sempre avuto voglia di farlo e ho anche provato molte volte, ma, per dire la verità, ho paura dell'acqua.

Nipote: Nonna, non avere paura! Secondo me, hai bisogno di un buon istruttore di nuoto. La prossima volta che veniamo al mare, io ti insegnerò a nuotare.

Nonna: Sei troppo gentile! In realtà, alla mia età, dovrei imparare a fare un'altra attività.

🔠 **ESERCIZIO A**

Lavorare con un compagno/una compagna. Leggere e imparare le seguenti parole utili sulla musica. Infine, completare l'esercizio.

(Work with a classmate. Read and learn the following useful music terms. Then, complete the exercise.)

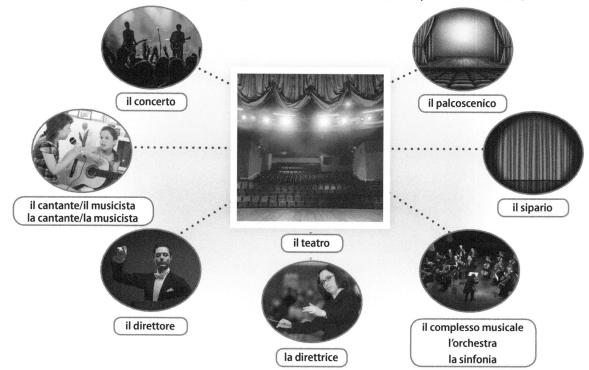

il concerto · il teatro · il palcoscenico · il cantante/il musicista la cantante/la musicista · il sipario · il direttore · la direttrice · il complesso musicale / l'orchestra / la sinfonia

gli strumenti a fiato e a percussione

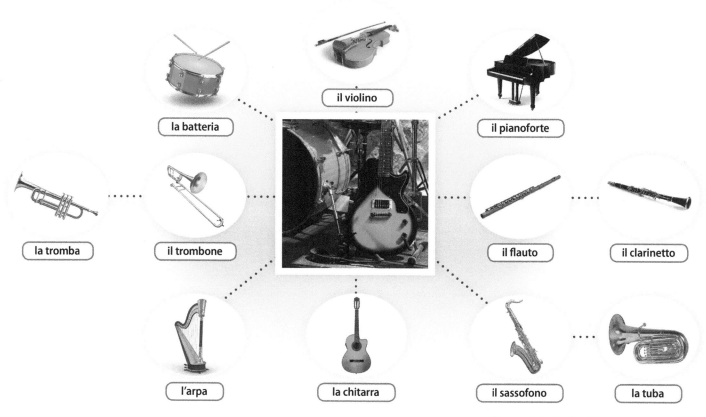

la batteria · il violino · il pianoforte · la tromba · il trombone · il flauto · il clarinetto · l'arpa · la chitarra · il sassofono · la tuba

Teatro ALLA Scala

Biglietteria
Centrale

l'arpa - *harp*	**il palcoscenico** - *stage*
la batteria - *drums*	**il pianoforte** - *piano*
il/la cantante - *singer*	**il sassofono** - *saxophone*
la chitarra - *guitar*	**la sinfonia** - *symphony*
il clarinetto - *clarinet*	**il sipario** - *stage curtain*
il complesso musicale - *musical ensemble*	**lo strumento** - *instrument*
il compositore - *composer (m.)*	**lo strumento a fiato** - *wind instrument*
il concerto - *concert*	**lo strumento a percussione** - *percussion instrument*
il direttore - *music conductor*	**il tamburo** - *drum*
la direttrice - *music conductor*	**il teatro** - *theater*
il flauto - *flute*	**la tromba** - *trumpet*
il/la musicista - *musician*	**il trombone** - *trombone*
l'oboe - *oboe*	**la tuba** - *tuba*
l'opera - *opera*	**il violino** - *violin*
l'orchestra - *orchestra*	

Aosta

1. Come si dice «**stage**» in italiano?
   A. la batteria   B. il palcoscenico   C. la tuba   D. il compositore

2. Cosa vuol dire «**il sipario**»?
   A. stage curtain   B. conductor   C. drums   D. guitar

3. Che significa «**la batteria**» in inglese?
   A. orchestra   B. harp   C. violin   D. drums

4. Come si dice «**trumpet**»?
   A. il pianoforte   B. il sassofono   C. la tromba   D. l'arpa

5. Come si dice «**flute**»?
   A. il flauto   B. il clarinetto   C. il teatro   D. il concerto

 ESERCIZIO B

Identificare i seguenti 10 strumenti in italiano.
(Identify the following 10 instruments in Italian.)

1. _____   2. _____   3. _____   4. _____   5. _____

6. _____   7. _____   8. _____   9. _____   10. _____

le Alpi

ESERCIZIO C

Completare le seguenti frasi usando il vocabolario sulla musica.

(Complete the following sentences using music vocabulary.)

1. Il complesso musicale si trova sul _____.

2. L'_____ è uno strumento classico di legno a corde.

3. _____ si alza e si abbassa durante un concerto.

4. La tuba è un esempio di strumento _____.

5. La batteria è un esempio di strumento _____.

6. La sinfonia è composta di molti _____.

7. Il _____ ha ottantotto tasti bianchi e neri.

Le Cinque Abilità

Ascolto, Lettura, Scrittura, Comunicazione, Cultura

🎧 **Ascolto 1**/Interpretive Mode

Ascoltare attentamente le domande due volte. Poi, scegliere la lettera che corrisponde all'immagine.

(Listen carefully to the questions repeated twice. Then, select the letter that corresponds to the picture.)

```
Arena di        UNICREDIT                              Arena di Verona
Verona
AIDA            AIDA                                   AIDA
26/08           ARENA DI VERONA                        26/08
alle 19,00      26/08, alle 19,00                      alle 19,00
€18,00          ENTRATA N.23 E N.27                    €18,00
                GRADINATA SETTORE C
ENTRATA                                                ENTRATA
N.23 e N.27     Nessun rimborso e' previsto a spettacolo iniziato   N.23 e N.27
GRADINATA       In platea e' richiesto l'abito scuro   GRADINATA
Settore C                                              Settore C

                TOTALE € 18,00
```

1. A. alle otto
   B. alle diciotto
   C. alle ventisette
   D. alle diciannove

2. A. a UniCredit
   B. a Gradinata
   C. a Verona
   D. a Ridotto

3. A. il ventotto agosto
   B. il diciassette febbraio
   C. il ventisei agosto
   D. l'otto febbraio

4. A. ventitré euro
   B. diciotto euro
   C. duemilaundici euro
   D. ventuno euro

5. A. Entrata
   B. Settore C
   C. Arena di Verona
   D. Aida

L'Arena di Verona

🎧 Ascolto 2/Interpretive Mode

Ascoltare attentamente ogni frase due volte. Poi, scrivere la lettera dell'immagine che corrisponde a ciascuna frase sulla linea.

(Listen carefully to each sentence repeated twice. Then, write the letter of the picture that corresponds to each sentence on the line.)

A   **B**   **C**   **D**   **E**

1. _____   2. _____   3. _____   4. _____   5. _____

📖 Lettura/Interpretive Mode

Leggere attentamente il brano e poi, rispondere alle 6 domande.

(Read the passage carefully and then, answer the 6 questions.)

Gioacchino Rossini

Gioacchino Rossini

Gioacchino Rossini, musicista e compositore, è nato nel 1792 a Pesaro, un porto sul Mar Adriatico tra le Marche e l'Emilia-Romagna. La sua passione per la musica inizia quando era molto giovane, influenzato dai genitori musicisti: suo padre suonava il corno e sua madre cantava.

Nel 1806, mentre studiava al liceo musicale di Bologna, ha scritto la sua prima opera: *Demetrio e Polibio*. Quattro anni dopo, ha scritto *La cambiale di matrimonio*. Nel 1812 ha scritto *La pietra del paragone*, che è stata rappresentata a Milano nel teatro d'opera più famoso del mondo, il Teatro alla Scala.

Rossini si è trasferito a Napoli dov'è diventato direttore musicale e artistico dei teatri napoletani. Durante questo periodo della sua vita ha composto molte opere fra cui le più conosciute sono: *Otello*, *Mosè in Egitto*, *Il Barbiere di Siviglia* e soprattutto la sua ultima opera, *Guglielmo Tell*.

Rossini, la cui musica ha dominato il teatro durante l'Ottocento, è considerato un genio musicale. Le caratteristiche della sua musica, l'allegria e la semplicità, riflettono il suo modo di vivere in Italia. Rossini è anche considerato il maestro dell'opera buffa, evidente nel suo grande capolavoro, *Il Barbiere di Siviglia*.

Gioacchino Rossini è morto nel 1868.

1. Perché Gioacchino Rossini era destinato alla musica dalla nascita?

   A. Ascoltava la radio ogni giorno.   C. I suoi genitori erano musicisti.

   B. Suonava la chitarra con amici.   D. La sua passione era il corno.

2. Dove abitava Rossini quando ha scritto *Otello*?

   A. a Bologna   C. a Pesaro

   B. a Napoli   D. a Roma

3. Qual era l'ultima opera di Rossini?

   A. *Demetrio e Polibio*   C. *Guglielmo Tell*

   B. *La cambiale di matrimonio*   D. *Mosè in Egitto*

4. In che anno ha scritto *La cambiale di matrimonio* Rossini?

   A. nel milleottocentodieci   C. nel milleottocentosei

   B. nel milleottocentododici   D. nel milleottocentoquindici

5. In quale opera utilizza il suo talento umoristico?

   A. in *Otello*   C. in *Mosè in Egitto*

   B. in *Guglielmo Tell*   D. in *Il Barbiere di Siviglia*

6. Quanti anni aveva quando è morto?

   A. Aveva settantasei anni.   C. Aveva settantasette anni.

   B. Aveva settanta anni.   D. Aveva settantacinque anni.

Scrittura/Interpretive Mode and Presentational Mode

Descrivere un concerto che ti piacerebbe vedere. Di che cosa avresti bisogno? A che ora comincerebbe? Chi inviteresti ad accompagnarti? Cosa faresti dopo il concerto? Cosa non dimenticheresti di portare con te al concerto?

(Describe a concert that you would like to see. What would you need? At what time would it begin? Who would you invite to accompany you? What would you do after the concert? What would you not forget to bring with you to the concert?)

Comunicazione Orale/
Interpersonal Mode

 ## ESERCIZIO A

Lavorare insieme ad un compagno/una compagna. Fare e rispondere alle seguenti domande.

(Work together with a classmate. Ask and answer the following questions.)

1. Perché non vedi l'ora di andare ad un concerto?

2. Quando imparerai a suonare uno strumento?

3. Secondo te, quanto tempo avrai bisogno per riuscire a suonare bene uno strumento?

4. Quale strumento suoni? Da quanto tempo lo suoni?

5. Ti divertiresti a suonare il pianoforte o il violino?

6. Provi a cantare in italiano o in inglese? Perché?

 ## ESERCIZIO B

Fare una conversazione con un compagno/una compagna.

(Converse with a classmate.)

Ti fa una domanda: He/She asks you a question:	Studente 1: **A che ora inizia il concerto sabato sera?**
Gli/Le rispondi: You answer him/her:	Studente 2:
Ti parla di un problema: He/She talks to you about a problem:	Studente 1: **Purtroppo non posso venire. Dovrò andare dagli zii.**
Gli/Le chiedi perché e commenti: You ask him/her why and comment:	Studente 2:
Ti dà una spiegazione: He/She gives you an explanation:	Studente 1: **Mi dispiace, ma questa è un'occasione che non posso perdere.**

le Alpi

Leggere e discutere le seguenti informazioni sulla Valle d'Aosta e poi, completare gli esercizi.

(Read and discuss the following information about Valle d'Aosta and then, complete the exercises.)

1. È una regione dell'Italia settentrionale ed è la più piccola d'Italia.

2. Il suo capoluogo è Aosta.

3. Confina con il Piemonte, la Francia e la Svizzera.

4. Gli abitanti della Valle d'Aosta sono chiamati «valdostani».

5. La Valle d'Aosta è circondata da molte belle montagne più alte delle Alpi: il Cervino, il Monte Bianco, il Monte Rosa e il Gran Paradiso.

6. Il Monte Bianco è la montagna più alta d'Italia e d'Europa.

7. Il parco più antico d'Italia è il Parco Nazionale che si trova nella montagna del Gran Paradiso.

8. È una regione agricola e turistica.

9. Le lingue ufficiali di questa regione sono l'italiano e il francese.

10. Alcuni piatti valdostani ben noti sono:
    - **le Tegole di Aosta**, una pasta di mandorle a volte coperta di cioccolata
    - **la Fontina**, un formaggio grasso e dolce
    - **la Seupa de grì**, una minestra a base di orzo, costine di maiale e verdure di stagione
    - **la Fondue**, un piatto di fontina con il latte, il burro e l'uovo

11. Alcuni personaggi famosi della Valle d'Aosta sono:
    - Piero Chiambretti (*conduttore televisivo, 1956–*)
    - Luciano Caveri (*giornalista e politico, 1958–*)

★Aosta

il Parco Nazionale del Gran Paradiso

www.regione.vda.it

la fondue

la fontina

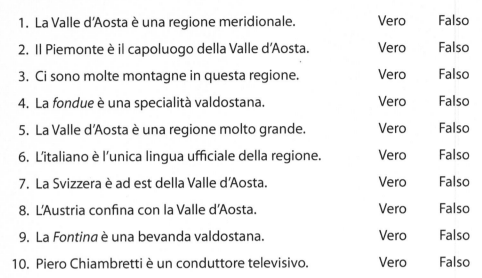

ESERCIZIO A

Leggere attentamente le 10 frasi e poi, secondo le informazioni sulla cultura, scegliere *Vero* o *Falso*.

*(Read the 10 sentences carefully and then, according to the cultural information, select **True** or **False**.)*

1. La Valle d'Aosta è una regione meridionale.   Vero   Falso
2. Il Piemonte è il capoluogo della Valle d'Aosta.   Vero   Falso
3. Ci sono molte montagne in questa regione.   Vero   Falso
4. La *fondue* è una specialità valdostana.   Vero   Falso
5. La Valle d'Aosta è una regione molto grande.   Vero   Falso
6. L'italiano è l'unica lingua ufficiale della regione.   Vero   Falso
7. La Svizzera è ad est della Valle d'Aosta.   Vero   Falso
8. L'Austria confina con la Valle d'Aosta.   Vero   Falso
9. La *Fontina* è una bevanda valdostana.   Vero   Falso
10. Piero Chiambretti è un conduttore televisivo.   Vero   Falso

Piero Chiambretti

ESERCIZIO B

Scegliere le risposte corrette. Fare una ricerca su Internet se necessario.

(Select the correct responses. Do Internet research if necessary.)

1. La Valle d'Aosta confina con . . . .
- A. la Spagna
- B. la Slovenia
- C. la Germania
- D. la Francia

2. Il parco più vecchio si trova nel . . . .
- A. Monte Cervino
- B. Monte Bianco
- C. Gran Paradiso
- D. Monte Rosa

3. Il monte più alto d'Europa è il . . . .
- A. Monte Cervino
- B. Monte Bianco
- C. Gran Paradiso
- D. Monte Rosa

4. *La Seupa de grì* è . . . .
- A. un antipasto
- B. un primo
- C. un secondo
- D. un contorno

5. Luciano Caveri fa . . . .
- A. il giornalista
- B. il conduttore
- C. l'attore
- D. il musicista

le tegole di Aosta

F Ceragioli

Sito Otto: Vocabolario

aggettivi

buffo - funny; comical

famoso - famous

pieno - full

vuoto - empty

nomi/sostantivi

la musica - music (pagine 225–226, Indice 278)

l'allegria - happiness

il corno - horn

il genio - genius

la semplicità - simplicity

espressioni

per dire la verità - to say/tell the truth

tesoro - sweetheart

verbi

Verbi seguiti dalle preposizioni «a» e «di» -
Verbs followed by the prepositions "to" and "of"
(pagine 222–223, Indice 281)

iniziare - to initiate; begin

perdere - to miss; lose

riflettere - to reflect

scolpire (isc) - to sculpt; sculpture

Tutto è bene quello che finisce bene.

All is well that ends well.

le Alpi

Sito 9
Ripasso finale

Italia

1. La Sardegna
2a. Il Trentino-Alto Adige
2b. Il Friuli-Venezia Giulia
3. Le Marche
4. La Puglia

5. L'Abruzzo
6. Il Molise
7. La Basilicata
8. La Valle d'Aosta

Objectives:

- Review and recycle vocabulary, grammar, and culture from Sito Preliminare through Sito 8.
- Enhance listening and reading skills.
- Provide additional practice for assessments.

Per chiacchierare:

- In which vocabulary topics/themes are you most proficient and least proficient?
- What cultural aspects did you find most interesting? Why?
- In which grammar points are you most proficient and least proficient?
- Give specific examples for each question.

Discuss the proverb:

Roma non fu fatta in un giorno.

Rome wasn't built in a day.

ESERCIZIO I

Ascoltare attentamente ogni frase due volte. Poi, scrivere la lettera dell'immagine che corrisponde a ciascuna frase sulla linea.

(Listen carefully to each sentence repeated twice. Then, write the letter of the picture that corresponds to each sentence on the line.)

A

B

C

D

E

1. _____   2. _____   3. _____   4. _____   5. _____

ESERCIZIO II

Completare le frasi della Colonna A con le risposte corrette della Colonna B.

(Complete the sentences in Column A with the correct answers in Column B.)

Colonna A	Colonna B
1. _____ Il nostro professore di scienze . . . Giacomo.	A. ti fai
2. _____ Quando fa freddo . . . i guanti.	B. si sono sposati
3. _____ Noi . . . quando non capiamo la lezione.	C. mi sono diplomata
4. _____ Il mio amico . . . di Anna.	D. si chiama
5. _____ I nostri genitori . . . venti anni fa.	E. si è addormentata
6. _____ Quando mi sento stanca, ...	F. si mettono
7. _____ Io . . . tre anni fa.	G. vi siete laureati
8. _____ Pietro, . . . il bagno stamattina?	H. ci aiutiamo
9. _____ La bambina . . . sul sofà.	I. si è innamorato
10. _____ In che anno . . . voi?	J. mi riposo

ESERCIZIO III

Completare le frasi della Colonna A con le risposte corrette della Colonna B.

(Complete the sentences in Column A with the correct answers in Column B.)

Colonna A

1. _____ Io preparo i pranzi . . . .

2. _____ La doccia si trova . . . .

3. _____ Il latte, il burro, il formaggio e la frutta sono . . . .

4. _____ Accendo . . . per leggere.

5. _____ Mi piace dormire nel mio . . . .

6. _____ Per andare al secondo piano, salgo . . . .

7. _____ Mio padre parcheggia la macchina . . . .

8. _____ La lavatrice si trova sotto . . . .

9. _____ La mia famiglia guarda la tele . . . .

10. _____ Hanno messo i vestiti . . . .

Colonna B

A. in cantina

B. nell'armadio

C. in salotto

D. in garage

E. in cucina

F. letto

G. le scale

H. nel frigorifero

I. la lampada

J. in bagno

La Sardegna

Leggere attentamente il brano e poi, rispondere alle 5 domande.

(Read the passage carefully and then, answer the 5 questions.)

Le vacanze estive

Durante l'anno scolastico io e mia sorella Olivia ci alziamo prestissimo ogni giorno perché la scuola comincia presto. Ieri, il primo giorno di vacanza, ci siamo svegliate alle nove e siamo rimaste a letto mezz'ora più del solito. Che bello! Verso le nove e quaranta ci siamo alzate e abbiamo guardato due programmi che, di solito, non possiamo guardare perché siamo a scuola. Poi abbiamo fatto colazione insieme. Dopo ci siamo lavate, ci siamo vestite e siamo uscite. Verso le diciotto siamo ritornate a casa per cenare con la famiglia. Alle venti, Lea e Giovanni, due amici, sono venuti da noi per guardare un film. Alla fine del film, gli amici sono ritornati a casa e io e Olivia ci siamo addormentate. Che bella giornata di vacanza! Tutti ci siamo divertiti un sacco.

1. Olivia e sua sorella si alzano molto presto quando . . . .

   A. ci sono lezioni   C. guardano un film

   B. sono in vacanza   D. fanno colazione

2. Cosa fanno le due ragazze quando non sono a scuola?

   A. Guardano la televisione.   C. Rimangono a letto tutta la giornata.

   B. Preparano i pranzi per la famiglia.   D. Leggono i loro romanzi preferiti.

3. Le due sorelle ritornano a casa alle sei di sera per . . . .

   A. prendere qualcosa da leggere   C. mangiare con la famiglia

   B. scrivere al papà   D. aiutare la mamma

4. Chi viene da Olivia e da sua sorella?

   A. le loro amiche   C. le vicine di casa

   B. i loro amici   D. i nonni

5. Com'è stata la prima giornata di vacanza delle ragazze?

   A. triste   C. confusa

   B. faticosa   D. divertente

ESERCIZIO I

Ascoltare attentamente gli imperativi due volte. Poi, scrivere la lettera dell'immagine che corrisponde a ciascun'imperativo sulla linea.

(Listen carefully to the imperatives repeated twice. Then, write the letter of the picture that corresponds to each imperative on the line.)

| A | B | C | D |

| E | F | G |

1. _____   2. _____   3. _____   4. _____

5. _____   6. _____   7. _____

 **ESERCIZIO II**

Completare le frasi della Colonna A con i verbi giusti della Colonna B.

(Complete the sentences in Column A with the correct verbs in Column B.)

Colonna A	Colonna B
1. _____ Ragazzi, . . . i libri sotto il banco!	A. scrivi
2. _____ Maria, . . . la risposta alla lavagna!	B. mettete
3. _____ Professore, ci . . . numero sette, per piacere!	C. lava
4. _____ Signori, . . . in inglese, per favore!	D. andiamo
5. _____ Giovanni, non . . . di fare i compiti!	E. finite
6. _____ . . . a vedere il nuovo film!	F. servire
7. _____ Professoressa, . . . il primo paragrafo!	G. spieghi
8. _____ Studenti, . . . il secondo esercizio in classe!	H. parlate
9. _____ Dora, . . . i piatti, per piacere!	I. dimenticare
10. _____ Zia, non . . . quel contorno!	J. corregga

il Trentino-Alto Adige

il Friuli-Venezia Giulia

 ESERCIZIO III

Completare le frasi della Colonna A con le parole giuste della Colonna B.

(Complete the sentences in Column A with the correct words in Column B.)

Colonna A

1. _____ La mattina faccio il caffè . . . .
2. _____ Lo uso per bere il latte.
3. _____ Vado in . . . per lavarmi.
4. _____ L'accende quando ha bisogno della luce.
5. _____ Abbiamo bisogno delle . . . per mangiare la pasta.
6. _____ Nicolina ha messo le scarpe . . . .
7. _____ Angelo ha messo il latte e il formaggio . . . .
8. _____ Si usa . . . per tagliare la carne.
9. _____ Gli piace dormire nella . . . .
10. _____ Giulia, metti il sale e . . . sulla tavola!

Colonna B

A. forchette
B. in frigo
C. nell'armadio
D. sua camera da letto
E. un bicchiere
F. un coltello
G. in cucina
H. il pepe
I. bagno
J. una lampada

ESERCIZIO IV

Leggere la seguente ricetta attentamente e poi, rispondere alle 3 domande.

(Read the following recipe carefully and then, answer the 3 questions.)

«Risotto alle mele alla Trentino-Alto Adige»

Ingredienti per 4 persone:

300 grammi di riso padano   una mela
3 cucchiaini di burro   un **pizzico** di formaggio Grana Padano
2 cucchiai d'olio d'oliva   1 cucchiaino di sale
1 tazza di brodo di carne

Preparazione:

1. **Sciogliete** nel **tegame** il burro nell'olio. **Aggiungete** il riso e fatelo tostare leggermente, **rimescolandolo**.
2. **Bagnate** con il brodo caldo.
3. Quando il riso è a **metà cottura**, **sbucciate** e **affettate** finemente la mela, mettetela nel riso e finite di cuocere, rimescolando.
4. **Levate** dal **fuoco** il riso quando è ancora al dente e **mantecatelo** con burro e formaggio Grana Padano **grattato**. Servite caldo.

pizzico/pinch; sciogliere/to melt; il tegame/pan; aggiungere/to add; rimescolare/to mix again; bagnare/to soak; metà/half; cottura/cooked; sbucciare/to peel; affettare/to slice; levare/to remove; il fuoco/heat; mantecare/ to coat; grattato/grated

1. Quale frutta si usa in questa ricetta?

A. l'uva

B. il formaggio

C. il sale

D. la mela

2. Cos'è *Grana Padano*?

A. del formaggio

B. del brodo di carne

C. dell'olio d'oliva

D. del riso padano

3. Come si serve questo piatto?

A. con brodo

B. con sale e pepe

C. con burro e formaggio

D. con olive

Ripasso di Sito Tre ③

ESERCIZIO I

Ascoltare attentamente ogni frase due volte. Poi, scrivere la lettera dell'immagine che corrisponde a ciascuna frase sulla linea.

(Listen carefully to each sentence repeated twice. Then, write the letter of the picture that corresponds to each sentence on the line.)

A

B

C

D

E

1. _____   2. _____   3. _____   4. _____   5. _____

le Marche

ESERCIZIO II

Scegliere il passato prossimo o l'imperfetto secondo il significato di ogni frase.

(Select the present perfect tense or the imperfect tense according to the meaning of each sentence.)

1. Quando io e mia sorella avevamo sei anni (**ci è piaciuto/ci piaceva**) guardare i cartoni animati.

2. Dai miei genitori, il pranzo di domenica (**è stato/era**) sempre pronto a mezzogiorno.

3. Ha ricevuto un bel voto perché (**ha studiato/studiava**) molto.

4. In che stagione (**sei nata/nascevi**)?

5. Da bambini non (**hanno mangiato/mangiavano**) gli spinaci.

6. Mentre (**abbiamo fatto/facevamo**) una passeggiata, (**abbiamo visto/vedevamo**) un incidente stradale.

 ## ESERCIZIO III

Completare le frasi della Colonna A con la risposta corretta della Colonna B.

(Complete the sentences in Column A with the correct answer in Column B.)

Colonna A

1. _____ Siamo andati in Italia . . . .

2. _____ Il mio fratellino piangeva molto . . . .

3. _____ Avete guardato il vostro programma preferito . . . ?

4. _____ La mia famiglia cenava . . . alle sei.

5. _____ Ha fatto molto caldo in Italia . . . .

6. _____ Hanno finito di scrivere il tema . . . .

7. _____ I miei genitori pranzavano con noi . . . .

8. _____ Quando eravamo studenti, ascoltavamo . . . le nostre professoresse.

Colonna B

A. due settimane fa

B. di solito

le Marche

ESERCIZIO IV

Leggere attentamente il brano e poi, rispondere alle 3 domande.

(Read the passage carefully and then, answer the 3 questions.)

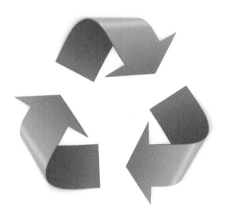

Il riciclaggio

Anni fa il mondo era molto più inquinato a causa delle industrie, le macchine e la mancanza di conoscenza scientifica. Per esempio, non si faceva la raccolta dei rifiuti differenziata. La gente buttava tutto via senza pensare al danno che faceva all'ambiente. Oggi, con l'aiuto della scienza e della tecnologia, tutto è cambiato. La maggioranza della gente vuole proteggere l'ambiente e sa farlo. È più consapevole di molti problemi relativi ai danni che vengono inflitti all'ambiente e oggi si parla molto del disboscamento, dell'effetto serra, della fascia d'ozono, dell'inquinamento, ecc. Per facilitare il processo, oggi si ricicla diversi tipi di rifiuti: il vetro, la carta, la plastica e molte altre cose. Molte persone utilizzano i mezzi pubblici di trasporto e c'è un aumento nella costruzione e nella vendita delle automobili «verdi» elettriche che consumano meno benzina o che non usano affatto la benzina. È necessario continuare a proteggere l'ambiente per noi e per i nostri figli.

1. Perché l'ambiente è più pulito oggi?

    A. La tecnologia causa problemi.   C. Ci sono meno macchine.

    B. C'è più benzina.   D. La gente lo protegge.

2. Cos'è necessario per mantenere l'ambiente salubre?

    A. riciclare i rifiuti   C. buttare tutto via

    B. utilizzare più prodotti   D. aumentare il traffico

3. Perché si vendono molte macchine «verdi»?

    A. per guidare più velocemente   C. per diminuire l'inquinamento

    B. per consumare più benzina   D. per risparmiare soldi

ESERCIZIO I

Ascoltare attentamente ogni frase due volte. Poi, scrivere la lettera dell'immagine che corrisponde a ciascuna frase sulla linea.

(Listen carefully to each sentence repeated twice. Then, write the letter of the picture that corresponds to each sentence on the line.)

A   **B**   **C**

D   **E**

1. _____ 2. _____ 3. _____ 4. _____ 5. _____

 ESERCIZIO II

Scegliere la forma corretta del verbo «piacere» al presente.

(Select the correct form of the verb "to be pleasing" in the present tense.)

1. (**Ti piace/Ti piacciono**) guardare i film spaventosi?

2. (**Gli piace/Gli piacciono**) molto le foto.

3. Non (**ci piace/ci piacciono**) tagliare l'erba.

4. (**Vi piace/Vi piacciono**) questi colori?

5. Non (**mi piace/mi piacciono**) quel vestito.

ESERCIZIO III

Completare le frasi della Colonna A con le espressioni corrette della Colonna B.

(Complete the sentences in Column A with the correct expressions in Column B.)

Colonna A	Colonna B
1. _____ Abbiamo contato (-) . . . cento stelle.	A. di
2. _____ Il tennis è (così) divertente . . . il golf.	B. che
3. _____ Sull'albero ci sono più foglie . . . fiori.	C. come
4. _____ Il Vesuvio è . . . alto dell'Etna.	D. quanto
5. _____ Gli Appennini sono (tanto) belli . . . le Alpi.	E. più
6. _____ Vincenzina è più anziana . . . Luca.	F. meno di
7. _____ Il fiume Po è . . . lungo del fiume Tevere.	G. più di
8. _____ Gli studenti hanno letto (+) . . . cinquanta pagine.	H. meno
9. _____ La geometria è . . . facile quanto la trigonometria.	I. così
10. _____ La primavera è . . . bella come l'estate.	J. tanto

la Puglia

ESERCIZIO IV

Leggere attentamente il brano e poi, rispondere alle 3 domande.

(Read the passage carefully and then, answer the 3 questions.)

La tecnologia

Tutti dicono che i giovani di oggi non possono vivere senza la tecnologia. Hanno bisogno della tivù, di Facebook, dei cellulari, dei computer, degli iPad, eccetera. Questo non è vero. Io ho quindici anni e sono quasi quattro settimane che seguo un corso estivo d'italiano all'Università di Roger Williams, nello stato di Rhode Island. Il programma è molto intenso e tutti dobbiamo parlare sempre in italiano. Quindi, non guardo la televisione, non leggo il giornale, non ho né un telefonino né un computer, niente in inglese e niente tecnologia. Passo molto tempo con altri ragazzi che studiano qui con me e facciamo molte attività divertenti insieme. Adesso so che la tecnologia porta via molto del mio tempo libero. Quando ritorno a casa, sono sicuro che passerò meno tempo chiuso in casa davanti a un computer e più tempo con gli amici.

1. Perché questo studente non usa la tecnologia?
   A. La tecnologia causa problemi.
   B. La tecnologia funziona bene.
   C. Deve seguire le regole del programma.
   D. Vuole risparmiare i soldi.

2. Come passa il tempo libero questo studente?
   A. Si addormenta presto.
   B. Si incontra con altri ragazzi.
   C. Risponde alle mail dei suoi amici.
   D. Controlla la sua pagina di Facebook.

3. Cosa ha imparato questo studente da questo programma?
   A. I giovani non sanno divertirsi.
   B. La vita sociale non è importante.
   C. Il social media consuma troppo tempo libero.
   D. La tecnologia nuova è la migliore.

Ripasso di Sito Cinque

 ESERCIZIO I

Ascoltare attentamente ogni frase due volte. Poi, scrivere la lettera dell'immagine che corrisponde a ciascuna frase sulla linea.

(Listen carefully to each sentence repeated twice. Then, write the letter of the picture that corresponds to each sentence on the line.)

A   **B**   **C**

D   **E**

1. _____ 2. _____ 3. _____ 4. _____ 5. _____

 ESERCIZIO II

Scegliere il verbo corretto al futuro semplice secondo il significato di ogni frase.

(Select the correct verb in the simple future tense according to the meaning of each sentence.)

1. Io (**aspetterò/comprerò**) l'autobus all'angolo.

2. Lui (**parcheggerà/venderà**) la macchina in garage.

3. Noi (**daremo/dovremo**) studiare per l'esame finale.

4. Loro non (**usciranno/diranno**) molto tardi.

5. Voi non (**sarete/avrete**) diciannove anni.

6. Tu non (**berrai/leggerai**) i sottotitoli.

Discuss the proverb:

Ci vuol pazienza.
You need patience.

ESERCIZIO III

Leggere attentamente ogni domanda e poi, scegliere la risposta corretta.

(Read each question carefully and then, select the correct response.)

1. Chi hai visto?
A. Non ho visto nessuno.
B. Non ho visto niente.
C. Non ho visto nulla.

2. Che cosa hai per me?
A. più
B. ancora
C. qualcosa

3. Quando studi?
A. neanche
B. sempre
C. o

4. Con chi sei uscita?
A. con neppure
B. con qualcuno
C. con neanche

5. Quando ti arrabbi?
A. nemmeno
B. anche
C. mai

San Giuseppe

ESERCIZIO IV

Scrivere la forma corretta dell'aggettivo in parentesi.

(Write the correct form of the adjective in parentheses.)

1. La festa di (**Saint**) _____ Stefano è il 26 dicembre.

2. Il 17 marzo festeggiamo la festa di (**Saint**) _____ Patrizio.

3. Che (**beautiful**) _____ occhi che hai!

4. Che (**beautiful**) _____ capelli che ha!

5. Vorrei mangiare una (**good**) _____ insalata adesso.

6. Il loro figlio ha ricevuto un (**good**) _____ voto sull'esame.

7. Dante Alighieri era un (**great**) _____ scrittore.

8. Il (**big**) _____ Sasso è un monte alto in Abruzzo.

Dante Alighieri

Leggere attentamente il brano e poi, rispondere alle 3 domande.

(Read the passage carefully and then, answer the 3 questions.)

I cambiamenti tecnologici

La parte preferita della giornata di mia figlia Alessandra è quando si siede davanti al computer e controlla la sua pagina di Facebook. Le piace vedere le foto dei suoi amici e dei suoi parenti e leggere i loro post. Qualche volta, quando non sono stanca morta, mi siedo vicino a lei e guardo le belle foto. Ieri sera mentre guardavo la sua pagina Facebook, mi sono incuriosita molto e ho cominciato a fare delle domande ad Alessandra. Pazientemente mi ha spiegato il processo e piano piano ho cominciato a capire. Adesso anch'io ho aperto un conto su Facebook e, alla fine della giornata, mi diverto a leggere le novità. Sono rimasta piacevolmente sorpresa quando ho scoperto che posso mettermi in contatto con i miei parenti in Italia e in Argentina usando Skype. Quando ne ho parlato con le mie amiche, mi sono accorta che non accettano facilmente i cambiamenti tecnologici così come ho fatto io e mi hanno detto che la tecnologia è solo per i giovani. Loro preferiscono continuare a incontrarsi e a conversare faccia a faccia con gli amici. Meno male che io non sono fuori del tempo!

1. Perché Alessandra passa molto tempo al computer?

   A. Non ha un lavoro.   C. Gli piace comunicare con tutti.

   B. Ha molto tempo libero.   D. Non ha altri impegni.

2. Cosa fa Alessandra per la madre?

   A. Mette le sue foto su Facebook.   C. Parla con lei su Skype.

   B. Le dice di andare via.   D. Le insegna ad usare Facebook.

3. Secondo la lettura, chi è fuori del tempo?

   A. le amiche della madre   C. i parenti in Argentina

   B. Alessandra e la madre   D. gli amici di Alessandra

l'Abruzzo

A

B

C

ESERCIZIO I

Ascoltare attentamente ogni frase due volte. Poi, scrivere la lettera dell'immagine che corrisponde a ciascuna frase sulla linea.

(Listen carefully to each sentence repeated twice. Then, write the letter of the picture that corresponds to each sentence on the line.)

D

E

1. _____   2. _____   3. _____   4. _____   5. _____

ESERCIZIO IIa

Scegliere il verbo corretto in parentesi.

(Select the correct verb in parentheses.)

1. Io (**sto cercando/sto aspettando**) una matita nello zaino.

2. Noi (**stiamo chiedendo/stiamo chiudendo**) le finestre perché sta piovendo.

3. I calciatori (**stanno perdendo/stanno giocando**) molto bene.

4. Il bambino (**sta piangendo/sta sorridendo**) perché ha molta fame.

5. Tu gli (**stai spiegando/stai cantando**) la lezione.

6. Perché (**state capendo/state aprendo**) il frigorifero un'altra volta?

 **ESERCIZIO IIb**

Scegliere il verbo corretto in parentesi.
(Select the correct verb in parentheses.)

1. Chi ti (**stava correndo/stava aspettando**)?

2. Io (**stavo mettendo/stavo pulendo**) il formaggio sugli spaghetti.

3. Tu (**stavi leggendo/stavi scrivendo**) il giornale.

4. I piloti (**stavano ripetendo/stavano controllando**) l'aereo.

5. Io e Gianni non (**stavamo litigando/stavamo trascinando**) le valige.

6. Matilde (**stava dormendo/stava correggendo**) gli sbagli.

 **ESERCIZIO III**

Scrivere la preposizione e il pronome tonico in parentesi.
(Write the preposition and disjunctive pronoun in parentheses.)

1. Pranzo (**with them**) _____ ogni giorno all'una.

2. Abbiamo cantato (**at your house,** singolare) _____.

3. Carlo odia parlare (**about her**) _____.

4. Stasera il mio amico va al concerto (**without me**) _____.

5. Abbiamo regalato i biglietti (**to all of you**) _____.

6. I signori Lancellotta non sono partiti (**after us**) _____.

7. Quegli studenti abitano (**far from you**, plurale) _____.

8. Chi arrivava alla lezione (**before you,** singolare) _____?

9. L'aeroporto non è (**near him**) _____.

10. Quella conversazione era (**between us**) _____.

il Molise

ESERCIZIO IV

Leggere attentamente il brano e poi, rispondere alle 5 domande.

(Read the passage carefully and then, answer the 5 questions.)

Una borsa di studio

Avevo ventotto anni quando ho ricevuto una borsa di studio per seguire dei corsi d'italiano in Italia all'Università per Stranieri, nella bellissima città di Perugia. Il soggiorno era per sei settimane. Quando sono partita, ho messo molti vestiti in due grandissime valige mentre ho messo il biglietto, il passaporto e altri documenti necessari in un bagaglio a mano. Il viaggio d'andata è stato abbastanza facile perché i miei mi hanno portato all'aeroporto e con il loro aiuto ho portato le valige al banco per fare il check-in. Quando sono arrivata a Roma mi sono resa conto che da sola non ce la facevo a portare tutto. Le valige erano pesantissime, ma per fortuna c'era sempre qualcuno ad aiutarmi a metterle nel carrello. Andare dall'aeroporto all'albergo è stato difficile perché da sola ho dovuto trascinare le due valige alla fermata dei tassì. Per spiegare meglio quanto il viaggio sia stato difficile, a quel tempo, le valige non avevano le ruote come quelle di oggi! Finalmente, stanca morta, sono arrivata in albergo. Un bravissimo facchino dell'albergo è uscito subito per aiutarmi e appena fatto il check-in al ricevimento, mi ha portato le valige in camera, al secondo piano.

Da questo viaggio ho imparato essenzialmente una cosa: non viaggiare mai con troppo bagaglio! Oggi viaggio spesso, ma faccio sempre una valigia leggera e i miei viaggi sono molto più tranquilli e divertenti.

il Molise

1. Perché la protagonista è andata in Italia?
   A. per ricevere una borsa
   C. per studiare la lingua
   B. per comprare due valige
   D. per una vacanza a Perugia

2. Perché la protagonista viaggiava con due valige?
   A. Doveva portare molti libri.
   C. Voleva comprare molta cioccolata.
   B. Aveva bisogno di molti vestiti.
   D. Aveva troppi documenti.

3. Com'erano le valige anni fa?
   A. avevano le ruote
   C. molto più grandi
   B. difficile da manipolare
   D. belle e comode

4. Come si sentiva la protagonista all'arrivo in albergo?
   A. forte
   C. rilassata
   B. gioviale
   D. stanchissima

5. Cosa ha imparato la protagonista dalla sua esperienza?
   A. viaggiare comodamente
   C. portare molto abbigliamento
   B. studiare senza valige
   D. comprare due ruote

Ripasso di Sito Sette ⑦

 ESERCIZIO I

Ascoltare attentamente ogni frase due volte. Poi, scrivere la lettera dell'immagine che corrisponde a ciascuna frase sulla linea.

(Listen carefully to each sentence repeated twice. Then, write the letter of the picture that corresponds to each sentence on the line.)

la Basilicata

A

B

C

D

E

1. _____   2. _____   3. _____   4. _____   5. _____

 ## ESERCIZIO II

Scegliere la forma corretta del verbo al condizionale presente in parentesi.

(Select the correct form of the verb in the conditional present in parentheses.)

1. L'avvocato non (**litigherebbe/litigheresti**) con il giudice.

2. I pompieri (**spegneremmo/spegnerebbero**) gli incendi.

3. Io e mia zia (**andremmo/andrei**) al concerto italiano.

4. Tu e Gianni (**suoneresti/suonereste**) la chitarra.

5. Io non mi (**sveglierei/sveglieresti**) presto il sabato.

6. Quanto (**guadagnereste/guadagnerebbe**) un pilota?

7. Noi (**ripasseremmo/ripasserebbero**) tutti i verbi prima dell'esame.

8. Perché tu non (**verresti/verrei**) alla celebrazione?

 ## ESERCIZIO III

Scegliere il verbo corretto al condizionale presente in parentesi.

(Select the correct verb in the conditional present in parentheses.)

1. Io (**inventerei/rappresenterei**) un miglior cellulare.

2. I cuochi (**pulirebbero/preparerebbero**) un pranzo giapponese.

3. Chi (**disegnerebbe/disciplinerebbe**) gli studenti?

4. (**Vi mettereste/Vi vestireste**) i pantaloni neri o quelli grigi?

5. Io e Annamaria (**faremmo/berremmo**) una pizza.

la Basilicata

ESERCIZIO IV

Leggere attentamente il brano e poi, rispondere alle 4 domande.

(Read the following passage carefully and then, answer the 4 questions.)

Domenico Modugno

Domenico Modugno

Domenico Modugno, musicista, cantante, regista, attore e politico italiano, è nato il 9 gennaio 1928 a Polignano a Mare, provincia di Bari, nella regione Puglia. Il mondo lo conosce come il padre dei cantautori italiani perché ha scritto più di 200 canzoni. Per la sua eccellenza artistica, Modugno ha vinto *il Festival di San Remo* tre volte. La prima volta è stato nell'anno 1958 con una canzone che è ancora ben conosciuta oggi in tutto il mondo «Nel blu dipinto di blu» o anche chiamata «Volare». A causa di una malattia nel 1984, purtroppo Modugno ha dovuto mettere da parte la sua passione, la musica. Durante questo periodo si è dedicato alla politica, interessandosi dei diritti dei disabili. Sette anni dopo è tornato nel mondo della musica, ma nello stesso anno ha avuto un infarto. Modugno non si è dato per vinta. L'anno successivo nel 1992, ha dato un concerto a Torino in cui si è esibito stando sempre seduto. Dagli applausi scroccianti del pubblico si poteva capire quanto fosse amato. Ha anche avuto la forza e la volontà di tornare ancora una volta in America per uno spettacolo e nel 1993 ha dato il suo ultimo concerto nel suo paese natale, Polignano a Mare davanti a 70.000 spettatori. Domenico Modugno è morto il 6 agosto 1994, all'età di 66 anni.

1. Cos'è successo a Modugno nell'anno millenovecentocinquantotto?

  A. È morto.

  B. È caduto.

  C. Ha fatto uno spettacolo a Torino.

  D. Ha vinto il suo primo *Festival di San Remo*.

2. Secondo il brano, perché Modugno si è dedicato alla politica?

  A. Non poteva più cantare.

  B. Non gli piacevano i concerti.

  C. Era disabile.

  D. Riceveva troppi applausi.

3. Secondo il brano, che tipo di individuo era Modugno?

  A. scortese

  B. persistente

  C. debole

  D. seccante

4. Cosa ha fatto Modugno dopo aver sofferto un infarto?

  A. Ha smesso di cantare.

  B. Ha recitato ancora una volta.

  C. È ritornato alla politica.

  D. È morto sul palcoscenico.

ESERCIZIO I

Ascoltare attentamente ogni frase due volte. Poi, scrivere la lettera dell'immagine che corrisponde a ciascuna frase sulla linea.

(Listen carefully to each sentence repeated twice. Then, write the letter of the picture that corresponds to each sentence on the line.)

A   B   C   D   E

1. _____ 2. _____ 3. _____ 4. _____ 5. _____

ESERCIZIO II

Riscrivere le seguenti frasi usando i pronomi possessivi.

(Rewrite the following sentences using possessive pronouns.)

1. Fammi vedere la tua pagella! _____

2. Non usare il suo portatile! _____

3. Nostra sorella frequenta la scuola media. _____

4. Mettiti i tuoi guanti! _____

5. Non lavate le loro camice! _____

6. I nostri zaini sono rossi. _____

ESERCIZIO III

Completare le seguenti frasi in italiano usando le preposizioni «a» o «di».

(Complete the following sentences in Italian using the prepositions "to" or "of".)

1. Abbiamo smesso _____ giocare a calcio.

2. Hai dimenticato _____ finire i compiti?

3. Mia zia riusciva sempre _____ vincere le sue partite di tennis.

4. Non hanno voglia _____ fare un giro in gondola adesso.

5. Da bambine io e mia sorella andavamo _____ trovare la nonna la domenica pomeriggio.

6. Non vedo l'ora _____ ammirare il *Davide*!

7. Vi siete divertiti _____ preparare la pasta di mandorle?

il Davide di Michelangelo

ESERCIZIO IV

Leggere attentamente il brano e poi, rispondere alle 5 domande.

(Read the passage carefully and then, rispondere alle 5 domande.)

La musica

La passione di tutti i membri della mia famiglia è la musica. Da bambina, frequentavo i concerti dei nonni. Mio nonno suonava il pianoforte in un'orchestra ben conosciuta. Anche mia nonna faceva parte della stessa orchestra però suonava l'arpa. La loro passione è stata trasmessa a mia madre. Infatti, lei ha conosciuto mio padre mentre cantava in una banda locale. Qualche anno dopo, hanno deciso di mettere su un loro gruppo musicale. L'hanno chiamato «i valdostani». Ogni sabato e domenica io andavo ad ascoltare le loro voci armoniose. Ovviamente da bambina anch'io avevo l'entusiasmo per la musica e l'apprezzavo di cuore, proprio come loro. Mi sono innamorata della chitarra. Mentre le mie amiche giocavano con le bambole, io passavo ore e ore a suonare il mio strumento preferito. I miei genitori si sono accorti del mio talento e hanno deciso di mandarmi a seguire lezioni di musica due volte alla settimana. Grazie a loro, oggi sono una musicista molto famosa!

1. Perché la protagonista ha seguito la musica?
- A. Voleva guadagnare molto.
- C. Voleva avere molto successo.
- B. Era un talento familiare.
- D. Era una materia facile.

2. Quali strumenti suonavano i nonni della protagonista?
- A. il pianoforte e l'arpa
- C. il flauto e il clarinetto
- B. la chitarra e la batteria
- D. la tuba e il violino

3. Che cos'è *i valdostani*?
- A. una passione
- C. un complesso musicale
- B. una voce classica
- D. uno strumento

4. Come passava il fine settimana la protagonista?
- A. suonando il pianoforte
- C. giocando con le amiche
- B. cantando con i nonni
- D. ascoltando la musica

5. Quando giocava con le bambole la protagonista?
- A. sempre
- C. ogni pomeriggio
- B. ogni weekend
- D. mai

la Valle d'Aosta

Chiarissimo Due
Sito Preliminare – Sito 8

Ho imparato . . . ? *Have I learned . . . ?*	Sì	No
1. i verbi riflessivi al presente e al passato prossimo/*reflexive verbs in the present tense and in the present perfect tense*		
2. la costruzione reciproca/*reciprocal construction*		
3. gli imperativi con i verbi regolari e irregolari/*regular and irregular imperatives*		
4. i pronomi con imperativi regolari e irregolari/*pronouns with regular and irregular imperatives*		
5. l'imperfetto/*imperfect tense*		
6. la differenza fra l'imperfetto e il passato prossimo/*the difference between the imperfect tense and the present perfect tense*		
7. il verbo «piacere» al presente e al passato prossimo/*the verb "to be pleasing" in the present tense and in the present perfect tense*		
8. i pronomi di oggetto indiretto/*indirect object pronouns*		
9. la comparazione di uguaglianza/*comparison of equality*		
10. il comparativo/*comparative degree*		
11. il superlativo/*superlative degree*		
12. dei verbi regolari e irregolari al futuro semplice/*some regular and irregular verbs in the simple future tense*		
13. le parole affermative e negative/*affirmative and negative words*		
14. gli aggettivi buono, nessuno, bello, santo, grande/*the adjectives good, no one/not one, beautiful, saint, big/great*		
15. il presente progressivo dei verbi regolari e irregolari/*present progressive of regular and irregular verbs*		
16. il passato progressivo dei verbi regolari e irregolari/*past progressive of regular and irregular verbs*		
17. i pronomi tonici/*disjunctive (prepositional) pronouns*		
18. il condizionale presente dei verbi regolari e irregolari/*conditional present tense of regular and irregular verbs*		
19. gli avverbi/*adverbs*		
20. gli usi speciali dell'articolo determinativo e indeterminativo/*special uses of definite and indefinite articles*		
21. l'uso della preposizione «da»/*the use of the preposition "da"*		
22. i pronomi possessivi/*possessive pronouns*		
23. dei verbi seguiti da una preposizione prima di un infinito/*some verbs followed by a preposition before an infinitive*		

Ho imparato . . . ? *Have I learned . . . ?*	Sì	No
1. alcuni proverbi in italiano e in inglese/*some proverbs in Italian and in English*		
2. le stanze, i mobili e altri oggetti di una casa/*rooms, furniture, and other objects in a house*		
3. la tavola e le posate/*table and table settings*		
4. la natura e l'ambiente/*nature and environment terms*		
5. la tecnologia/*technology terms*		
6. i passatempi/*pastimes*		
7. il viaggiare/*travel terms*		
8. le professioni/*career terms*		
9. la musica/*music terms*		

Have you met the objectives for *Chiarissimo Due*?

Can you ...	Sì	No
1. express yourself in Italian with the correct pronunciation and intonation?		
2. exchange information, opinions and ideas using a variety of time frames in the formal and informal register?		
3. demonstrate an understanding of a range of vocabulary, including idiomatic and cultural expressions?		
4. demonstrate an understanding of Italian cultural concepts including proverbs, history, geography, art, famous people, music, literature, and cuisine?		
5. ask and answer both simple and complex questions using phrases or sentences in a variety of time frames?		
6. write about your opinions and ideas in a variety of time frames in the formal and informal register?		
7. demonstrate an understanding of content from written and print resources in Italian?		
8. demonstrate comprehension of content from audio, visual, and audiovisual resources?		
9. create a variety of writings in the Italian language?		
10. demonstrate your knowledge using a variety of topics?		
11. compete nationally on the Level II, AATI National Italian Contest Examination?		
12. respond to simple prompts like those found on the AP® Italian Language and Culture Exam?		

Inglese - Italiano

-A-

a great deal; a lot - un sacco (di) *2,7*
absorb (v.) - assorbire *4*
acclimatize (v.) - ambientarsi *0*
accustomed to - abituato *1*
achieve (v.) - ottenere *3*
achieved - ottenuto *3*
act (v.) - recitare; rappresentare *7*
active - attivo *3*
actor - attore *7*
actress - attrice *7*
add (v.) - aggiungere *9*
adjust; fix (v.) - aggiustare *7*
admire (v.) - ammirare *6*
affirmative - affermativo *4*
aim - meta *6*
air - aereo *5*
airline company - linea aerea *6*
airplane - aereo; aeroplano *5, 6*
airport - aeroporto *6*
alarm clock - sveglia *1*
also - anche *5*
always - sempre *5*
ambience - ambiente (m.) *2*
ameliorate; improve (v.) - migliorare *1*
ample - ampio *6*
angry - arrabbiato *4*
anyone; no one - nessuno *5*
anything; nothing - niente; nulla *5*
apex - vetta *6*
applause - applauso *9*
appreciate (v.) - apprezzare *9*
approach; get near (v.) - avvicinarsi *6*
architect - architetto *7*
area - campo *7*
armchair - poltrona *1*
arrival - arrivo *6*
article - articolo *5*
artist - artista *7*
as soon as possible - al più presto *4*
ask for (v.) - chiedere (a) *4*
astronaut - astronauta *7*
at last - infine *1*
attentive - attento *4*
attic - attico *1*
avaricious - avaro *4*

aviator - aviatore (m.) *5*
aware - consapevole *3, 4*

-B-

banker - banchiere (m.) *7*
basement - cantina *1*
bathroom - bagno *1*
be able (v.) - potere *4*
be afraid of (v.) - avere paura di *8*
became - diventato *5*
become curious (v.) - incuriosirsi *(isc) 9*
be connected (v.) - essere connesso/a *4*
begin (v.) - (in)cominciare *8*
be online (v.) - essere in linea *4*
be pleasing; like (v.) - piacere *4*
bed - letto *1*
bed sheet - lenzuolo (le lenzuola) *6*
bedroom - camera da letto *1*
belong (v.) - appartenere *5*
beloved - amato *9*
bidet - bidè *1*
birth (adj.) - natale *1*
boarding pass - carta d'imbarco *6*
boring - noioso *4*
brand - marchio *2*
break up (v.) - lasciarsi *1*
brief - breve *5,7*
bring (v.) - portare *4*
broken - rotto *4*
broth - brodo *9*
browser - navigatore (m.) *4*
brush - spazzola *1*
brush one's hair (v.) - spazzolarsi *1*
built - costruito *4, 6*
bureau - cassettone (m.) *1*
businessman - imprenditore (m.) *2*
by the way - a proposito *2*

-C-

cabinet - credenza *1*
call oneself (v.) - chiamarsi *1*
camping - campeggio *6*
can (v.) - potere *4*
cancel (v.) - cancellare *4*

captain - capitano *4*
carpet - tappeto *1*
carry (v.) - portare *4*
carry-on bag - bagaglio a mano *6*
cart - carrello *9*
cause (v.) - causare *3*
cell phone - cellulare (m.) *4*
CEO - amministratore delegato *2*
champion - campione (m.) *3*
change (v.) - trasformare *5*
character - personaggio *7*
chat (v.) - fare quattro chiacchiere *3, 5*
check (v.) - controllare *2*
check-in (v.) - fare il check-in *6*
cheerful - gioviale *6*
chef - cuoca; cuoco *7*
choose (v.) - scegliere *1*
clarinet - clarinetto *8*
clear - chiaro *3, 7*
clear the table (v.) - sparecchiare *2*
clerk - impiegato *6*
click (v.) - cliccare *2, 4*
client - cliente (m. & f.) *6*
close (v.) - chiudere *4*
closet - armadio *1*
cloth - tessuto *7*
cloud - nuvola *3*
coast - costa *3*
coat (v.) - mantecare *9*
coincide (v.) - collimare *6*
comb - pettine (m.) *1*
comb one's hair (v.) - pettinarsi *1*
come (v.) - venire (a) *8*
comical - buffo *8*
company - azienda; ditta *2*
compete (v.) - competere; gareggiare *3*
competition - competizione (f.) *3*
composer - compositore (m.) *8*
computer - computer (m.) *4*
concept - concetto *5*
concert - concerto *8*
conduct (v.) - condurre *8*
confused - confuso *1*
constituted - costituito *6*
construction - costruzione (f.) *4*
consume (v.) - consumare; assorbire *3, 4, 9*
contribute (v.) - contribuire *(isc)* *2*
cook (v.) - cuocere *9*
cooking - cottura *9*

copper - rame (m.) *7*
correct - giusto; corretto *5*
couch - divano; sofà (m.) *1*
count (v.) - contare *3*
counter - banco *6*
countryside - campagna *3*
cover (v.) - coprire *2*
credit card - carta di credito *6*
culinary - culinario *6*
cut (v.) - tagliare *2*
cute - carino *3*

-D-

damage - danno *3*
dance (v.) - ballare; danzare *5*
decide (v.) - decidere (di) *8*
decorate (v.) - abbellire *(isc)* *6*
decrease (v.) - diminuire *(isc)* *3*
dedicate (v.) - dedicare *5*
dedicate oneself (v.) - dedicarsi *9*
deep - profondo
deforestation - disboscamento *3*
delete (v.) - cancellare *4*
dentist - dentista (m. & f.) *7*
departure - partenza *6*
desert - deserto *3*
design (v.) - disegnare *5*
destroyed - distrutto *6*
dialect - dialetto *1*
diffuse - diffuso *6*
digital camera - macchina fotografica digitale *4*
diligent - diligente *3*
diminish (v.) - diminuire *(isc)* *3*
dining room - sala da pranzo *1*
dirty - sporco *1*
disabled - disabile *9*
discipline (v.) - disciplinare *7*
dishwasher - lavastoviglie (f.) *1*
distributed - distribuito *2*
doctor - medico *7*
dominate (v.) - dominare *1*
download (v.) - scaricare *4*
drag (v.) - trascinare *6*
draw (v.) - disegnare *5, 7*
dream (v.) - sognare (di) *8*
drum - tamburo *8*
drums - batteria *8*
dry (oneself) (v.) - asciugarsi *1*

-E-

earn (v.) - guadagnare *7*
earth - terra *3*
earthquake - terremoto *6*
either . . . or/neither . . . nor - né . . . né *5*
electric shaver - rasoio elettrico *1*
electrical - elettrico *9*
elegant - elegante *7*
embark; board (v.) - imbarcarsi *6*
embroider (v.) - ricamare *6*
empty - vuoto *8*
encourage (v.) - incoraggiare *8*
engineer - ingegnere (m.) *7*
enjoy (v.) - godere *6*
enjoy (oneself) (v.) - divertirsi (a) *8*
enjoy (oneself) a lot (v.) - divertirsi un sacco *1*
enjoyable - divertente *4*
enormous - enorme *3*
enthusiasts - appassionati *6*
entitled - intitolato *1*
environment - ambiente (m.) *3*
erase (v.) - cancellare *4*
ease (v.) - facilitare *4*
essential - essenziale *9*
esteemed - pregiato *5*
ever; never - mai *5*
excellence - eccellenza *9*
excellent - prelibato *3*
exceptional - spettacolare *6*
excited - emozionato *4*
executive; manager - direttore (m.) *7*
executive; manager - direttrice (f.) *7*
exhausted - esaurito *6*
exit - uscita *6*
explain (v.) - spiegare *4*
explore (v.) - esplorare *7*
exquisite - prelibato *3*
extinguish (v.) - spegnere *7*

-F-

facilitate (v.) - facilitare *3, 4*
fall asleep (v.) - addormentarsi *1*
fall in love with (v.) - innamorarsi (di) *1*
famous - famoso; noto; grande *5, 8*
fans - appassionati *6*
fascism - fascismo *5*
fascist - fascista (m.) *5*
fashion show - sfilata *0*
fast - rapido; velocemente *4*

fasten seat belt (v.) - allacciarsi la cintura *6*
feel like (v.) - avere voglia di *8*
feel (health) (v.) - sentirsi *1*
festival - sagra *6*
field - campo *7*
fight (v.) - combattere *5*
finally - infine *1*
fine; thin - fino *3*
fine - multa *7*
finely - finemente *9*
finish (v.) - finire (di) *8*
fire - fuoco *9*
fireman - pompiere (m.) *7*
firm - azienda; ditta *2, 7*
fish (v.) - pescare *5*
fix; adjust (v.) - aggiustare *7*
flight - volo *6*
flowers - fiori *3*
flute - flauto *8*
fly - mosca *0*
fly (v.) - volare *6*
folder - cartella *4*
forest - bosco; foresta *3*
forget (v.) - dimenticare (di) *8*
form - forma *4*
founded - fondato *2*
fried - fritto *5*
friendly - amichevole *4*
fry (v.) - friggere *5*
full - pieno *8*
funny - spiritoso *3*
funny - buffo *8*
furious - furioso *4*
furnishings - mobili *1*

-G-

garage - garage (m.) *1*
garbage; waste; refuse - rifiuti *3*
gasoline - benzina *3*
gate - cancello *6*
generous - generoso *3*
genius - genio *8*
get (v.) - ottenere *3*
get accustomed to (v.) - ambientarsi *0*
get angry; mad (v.) - arrabbiarsi *1*
get dressed (v.) - vestirsi *1*
get married (v.) - sposarsi *1*
get near; approach (v.) - avvicinarsi (a) *6*
get old (v.) - invecchiarsi *2*
get ready (v.) - prepararsi *1*

get to the point (v.) - venire al sodo *2*
get together (v.) - incontrarsi (con) *5*
get undressed (v.) - spogliarsi *1*
get up (v.) - alzarsi *1*
gift - regalo *4, 6*
give as a gift (v.) - regalare *4, 6*
give up (v.) - darsi per vinto *9*
glass - vetro *9*
go (to) (v.) - andare (a) *8*
go fishing (v.) - pescare *5*
go on board; embark (v.) - imbarcarsi *6*
go on Facebook (v.) - andare su Facebook *5*
go out with friends (v.) - uscire con gli amici *5*
go to; turn to (v.) - rivolgersi *8*
go to a concert (v.) - andare ad un concerto *5*
go to the dance club (v.) - andare in discoteca *5*
go to the mall (v.) - andare alla galleria *5*
go to the theater (v.) - andare a teatro *5*
goal - meta *6*
graduate from college (v.) - laurearsi *1*
graduate from high school (v.) - diplomarsi *1*
gram - grammo *9*
grass - erba *3*
grated - grattato *9*
great - grande *5*
greedy - avaro *4*
greenhouse effect - effetto serra *9*
greet one another (v.) - salutarsi *1*
grow (up) (v.) - crescere *1*
guest - ospite (m. & f.) *6*
guide (v.) - condurre *5*
guilty - colpevole *1*
guitar - chitarra *8*

-H-

hair dryer - asciugacapelli (m.s.) *1*
hair dryer - fon (m.) *1*
hair spray - lacca *1*
half - metà *9*
handicraft - artigianato *6*
happiness - allegria *8*
harmonious - armonioso *9*
harp - arpa *8*
hateful - odioso *1*
have to (v.) - dovere *4*
heart attack - infarto *9*
heat - fuoco *9*
heavy - pesante *9*
helicopter - elicottero *7*
help (v.) - dare una mano *5*; aiutare (a) *8*

help one another (v.) - aiutarsi *1*
heroic - eroico *5*
hide (oneself) (v.) - nascondersi *7*
hilly - collinare; collinoso *6*
himself - sé stesso *1*
hope (v.) - sperare (di) *8*
horn - corno *8*
hotel - albergo *6*
hotel (small) - pensione (f.) *8*
hug (v.) - abbracciarsi *1*
huge - enorme *3*

-I-

icon - icona *4*
ideology - ideologia *5*
ill - malato *3*
impatient - impaziente *3*
imperative - imperativo *6*
impress (v.) - fare bella figura *7*
improve; ameliorate (v.) - migliorare *1*
increase - aumento *3*
increase (v.) - aumentare *3*
incredibilmente - incredibly *9*
industrious - diligente *3*
ingredients - ingredienti *9*
initiate; start (v.) - iniziare *8*
inside - interno *6*
instrument - strumento *8*
intend (v.) - avere intenzione (di) *8*
intense - intenso *4*
interest - interesse (m.) *5*
internet - Internet (m.); rete (f.) *4*
invent (v.) - inventare *7*
invite (v.) - invitare (a) *8*
itself - sé stesso *1*

-J-

jealous - geloso *3*
journalist - giornalista (m. & f.) *5, 7*
judge - giudice (m.) *7*

-K-

keep; maintain (v.) - mantenere *4*
keyboard - tastiera *4*
kiss each other (v.) - baciarsi *1*
kitchen - cucina *1*
know one another (v.) - conoscersi *1*

-L-

lack - mancanza *3*
lamp - lampada *1*
land (v.) - atterrare *6*
landing - atterraggio *6*
lap - grembo *2, 5*
large - grande *5*
lawyer - avvocato *7*
layer - fascia *3*
lazy - pigro *3*
learn (v.) - imparare (a) *8*
leaves - foglie *3*
lend (v.) - prestare *4*
lessen; diminish; decrease (v.) - diminuire *(isc) 3*
liar - bugiardo *3*
lie (v.) - dire una bugia; mentire *3*
light (weight) - leggero *1, 6*
lightly - leggermente *9*
like; be pleasing (v.) - piacere *4*
line - linea *4*
litigate (v.) - litigare *7*
living room - salotto *1*
lobby - ricevimento *6*
lodge (v.) - alloggiare *6*
look forward to (v.) - non vedere l'ora (di) *8*
lot of - un sacco di *7*
loved - amato *9*
lower (v.) - abbassare *8*
lucky - fortunato *7*
luggage - bagaglio *6*

-M-

magnificent - meraviglioso *6*
maintain; keep (v.) - mantenere *4*
major in; specialize in (v.) - specializzarsi *1*
make better (v.) - migliorare *1*
make lace (v.) - lavorare al tombolo *6*
make reservations (v.) - prenotare *6*
manipulate (v.) - manipolare *6*
marvelous - meraviglioso *6*
medieval - medioevale *6*
melt (v.) - sciogliere *9*
memory - ricordo *1*
metal - metallo *7*
microwave - forno a microonde *1*
mile(s) - miglio (le miglia) *6*
mirror - specchio *1*
miss (v.) - perdere *8*
mix (v.) - mescolare; mischiare *2*

mix again (v.) - rimescolare *9*
moon - luna *3*
mountainous - montuoso *2, 6*
mouse - mouse (m.) *4*
move (v.) - trasferirsi *1*
music conductor - direttore (m.) *8*
music conductor - direttrice (f.) *8*
musical ensemble - complesso musicale *8*
musician - musicista (m. & f.) *7, 8*
must (v.) - dovere *4*
myth - mito *5*

-N-

nail polish - smalto *1*
narrow - stretto *6*
native - natale *1*
nativity scene - presepe *6*
necessary - necessario *9*
need (v.) - avere bisogno (di) *8*
negative - negativo *4*
neither . . . nor - né . . . né *5*
never; ever - mai *5*
nickname - soprannome (m.) *3*
nightstand - comodino; tavolino *1*
no longer - non . . . più *5*
no one; anyone - nessuno *5*
not even - neanche; neppure; nemmeno *5*
nothing; anything - niente; nulla *5*
novel - romanzo *1*
novelist - romanziere (m.) *5*

-O-

oboe - oboe (m.) *8*
obtain (v.) - ottenere *3*
obtained - ottenuto *3*
obvious - ovvio *9*
obviously - ovviamente *9*
off - spento *4*
on (turned) - acceso *4*
only - unico *4*
opera - opera *8*
opt (v.) - scegliere *1*
or - o *5*
orchestra - orchestra *8*
oven - forno *1*

-P-

paint (v.) - dipingere *5*
painter - pittore (m.) *7*

painting - **quadro** *1*

pan - **tegame** (m.) *9*

panorama - **panorama** (m.) *6*

parentheses - **parentesi** (f. pl.) *6*

particular - **particolare** *7*

pass time (v.) - **trascorrere** *1*

passenger - **passeggera** (f.) *6*

passenger - **passeggero** (m.) *6*

passionate - **appassionato** *6*

passport - **passaporto** *6*

password - **password** (f.) *4*

patent - **brevetto** *7*

peak - **vetta** *6*

peel (v.) - **sbucciare** *9*

pepper - **pepe** *2*

percussion instrument - **strumento a percussione** *8*

perfect - **perfetto** *7*

perform (v.) - **recitare; rappresentare** *7*

perfume - **profumo** *1*

pharmacist - **farmacista** (m. & f.) *7*

piano - **pianoforte** *8*

picture - **quadro** *1*

picturesque - **pittoresco** *6*

pillowcase - **federa** *6*

pilot - **pilota** (m. & f.) *7*

pinch of - **pizzico** *9*

plant - **pianta** *3*

plastic - **plastica** *9*

play (music) (v.) - **suonare** *5*

play a sport (v.) - **fare uno sport** *5*

play cards (v.) - **giocare a carte** *5*

play video games (v.) - **giocare a videogiochi** *5*

player - **giocatore; giocatrice** *4*

playwright - **drammaturgo** *5*

pleasant - **gradevole** *1*

poet - **poeta** (m.) *7*

poet - **poetessa** (f.) *7*

policeman - **poliziotto** *7*

police woman - **poliziotta** *7*

politically - **politicamente** *5*

pollute (v.) - **inquinare** *3*

polluted - **inquinato** *3*

pollution - **inquinamento** *3*

precious - **pregiato** *5*

predominate (v.) - **predominare** *5*

preferred - **privilegiato** *6*

principal - **preside** (m. & f.) *7*

print (v.) - **stampare** *4*

printer - **stampante** (f.) *4*

privileged - **privilegiato** *6*

prize - **premio** *1*

profound - **profondo** *5*

protect (v.) - **proteggere** *3*

proud - **orgoglioso** *4*

public transportation - **mezzi pubblici** *9*

publish (v.) - **pubblicare** *1*

published - **pubblicato** *1*

punctual - **puntuale** *2*

put back (v.) - **rimettere** *9*

put on oneself (v.) - **mettersi** *1*

put out fire (v.)- **spegnere** *7*

-Q-

quickly - **velocemente** *4*

-R-

race - **gara; competizione** *3*

raid - **incursione** (f.) *5*

rapid - **rapido** *7*

rather - **piuttosto** *1*

read a novel (v.) - **leggere un romanzo** *5*

reality - **realtà** *5*

realize (v.) - **rendersi conto** (di)**; accorgersi** (di) *9*

rebuilt - **ricostruito** *6*

recent - **recente** *7*

recipe - **ricetta** *9*

reconstructed - **ricostruito** *6*

recycle (v.) - **riciclare** *9*

reflect (v.) - **riflettere** *8*

refrigerator - **frigorifero; frigo** *1*

refuse; waste; garbage - **rifiuti** *3*

regular - **regolare** *7*

relax (v.) - **riposarsi** *1*

relaxed - **rilassato** *6*

remote control - **telecomando** *1*

remove (v.) - **levare; togliere** *9*

rent (v.) - **affittare** *2*

reporter - **cronista** *7*

represent (v.) - **rappresentare**

reserve; make reservations (v.) - **prenotare** *6*

restart (v.) - **riavviare** *4*

return - **ritorno** *6*

review (v.) - **ripassare** *7*

rights - **diritti** *9*

ring; sound - **squillo** *4*

ring (v.) - **squillare** *4*

rival - **rivale** (m.) *3*

rock - **pietra** *3*

round trip - **andata e ritorno** *6*

rug - tappeto *1*
rule - regola *4*
run into each other (v.) - incontrarsi *1*
runway - pista *6*

-S-

sale - vendita *3, 4*
salt - sale (m.) *2*
sand - sabbia *3*
saturated - impregnato *1*
save (v.) - risparmiare *3*
save (v.) - salvare *4*
saxophone - sassofono *8*
say (v.) - dire (di) *4, 8*
scary - pauroso *4*
scholarship - borsa di studio *6*
scissors - forbici (f. pl.) *7*
screen - schermo *4*
sculpt; sculpture (v.) - scolpire (isc) *8*
sculptor - scultore (m.) *7*
sea level - livello del mare *6*
season (v.) - condire *(isc) 2*
seat belt - cintura *6*
secretary - segretaria *7*
security - sicurezza *6*
security check - controllo di sicurezza *6*
see each other (v.) - vedersi *1*
select (v.) - scegliere *1*
send (v.) - inviare *8*
send a text (v.) - mandare un messaggio *4*
serious - serio *4*
serve (v.) - servire *9*
set the table (v.) - apparecchiare la tavola *2*
shampoo - shampoo *1*
shave (v.) - farsi la barba *1*
shaving cream - crema da barba *1*
show (v.) - mostrare *1*
shower - doccia *1*
sickly - malato *3*
sickness - malattia *9*
sign out; close (v.) - chiudere *4*
silent - silenzioso *7*
simplicity - semplicità *8*
sing karaoke (v.) - cantare al karaoke *5*
singer - cantante (m. & f.) *7, 8*
singer - cantautore (m.) *9*
single room - camera singola *6*
sink - lavandino *1*
ski resort - località sciistica *8*
sky - cielo *3*

skype (v.) - fare Skype *5*
slice (v.) - affettare *9*
slowly - lentamente *4*
small table - tavolino *1*
smile - sorriso *7*
soak (v.) - bagnare *9*
soap - sapone (m.) *1*
social - sociale *5*
sofa - divano; sofà (m.) *1*
someone - qualcuno *5*
something - qualcosa *5*
songwriter - cantautore (m.) *9*
sound; ring - squillo *4*
specialize in; major in (v.) - specializzarsi *1*
spectacular - spettacolare *6*
spectator - spettatore (m.) *9*
spend time (v.) - trascorrere *1, 2*
spiritual - spirituale *5*
stage - palcoscenico *8, 9*
stage curtain - sipario *8*
stair - scala *6*
staircase - scala *6*
stars - stelle *3*
start (v.) - (in)cominciare (a) *8*
stay - soggiorno *1, 6*
still - ancora *5*
stingy - avaro *4*
stir (v.) - girare *2*
stop - fermata *6*
stop oneself (v.) - fermarsi *1*
stop (v.) - smettere (di) *8, 9*
stove - cucina; forno *1*
succeed (v.) - riuscire a *8*
suggest (v.) - suggerire (di) *(isc) 8*
suggested - suggerito *6*
suitcase - valigia *6*
surf the web (v.) - navigare in rete *4*
swim (v.) - nuotare; fare il nuoto *5 8*
symphony - sinfonia *8*

-T-

tablecloth - tovaglia *6*
take a bath (v.) - farsi il bagno *1*
take a picture (v.) - fare una foto *4*
take a picture (v.) - scattare una foto *4*
take a shower (v.) - farsi la doccia *1*
take a stroll (v.) - fare quattro passi; *8*
take a walk (v.) - passeggiare *8*
take-off - decollo *6*
take-off (v.) - decollare *6*

taxi - **tassì** (m.) *9*
taxi (v.) - **rullare** *6*
teach (v.) - **insegnare** (a) *8*
team - **squadra** *4*
telephone (v.) - **telefonare** (a) *4*
television - **televisivo** *1*
tell (v.) - **dire** (di) *4, 8*
text - **testo** *5*
text (v.) - **messaggiare** *4*
text message - **messaggio** *4*
thank (v.) - **ringraziare** *4*
theater - **teatro** *8*
therefore - **dunque** *9*
thin - **fino** *3*
think (of person) (v.) - **pensare** (a) *8*
throw away (v.) - **buttare via** *9*
ticket - **biglietto** *6*
tight - **stretto** *6*
to my house - **da me** *1, 6*
to our house - **da noi** *1, 6*
toast (v.) - **tostare** *9*
together - **insieme** *4*
toilet - **gabinetto** *1*
too - **anche** *5*
toothbrush - **spazzolino da denti** *1*
toothpaste - **dentifricio** *1*
top - **vetta** *6*
towel - **asciugamano** *1, 6*
transfer (v.) - **trasferirsi** *(isc)* *1*
transform (v.) - **trasformare** *5*
translate (v.) - **tradurre** *4*
tree - **albero** *3*
trombone - **trombone** (m.) *8*
trumpet - **tromba** *8*
truth - **verità** *4*
try (v.) - **cercare** (di) *8*
try (v.) - **provare** (a) *8*
tuba - **tuba** *8*
turn; stir (v.) - **girare** *2*
turn off (v.) - **spegnere** *4*
turn on (v.) - **accendere** *1, 4*
turned off - **spento** *4*
turned on - **acceso** *4*
turn to; go to (v.) - **rivolgersi** *8*
type (v.) - **scrivere a macchina** *4*

-U-

unique - **unico** *4*
university - **universitario** *5*
unlucky - **sfortunato** *7*
use (v.) - **utilizzare** *3, 4*
use Skype (v.) - **usare Skype** *5*
used to - **abituato** *1*
useless - **inutile** *1*
utilize (v.) - **utilizzare** *4*

-V-

very clear - **chiarissimo**
victory - **vittoria** *3*
view - **panorama** (m.) *6*
violin - **violino** *8*
visit (someone) (v.) - **andare a trovare** *7*
voice - **voce** (f.) *9*

-W-

waiter - **cameriere** (m.) *7*
waitress - **cameriera** *7*
wake up (v.) - **svegliarsi** *1*
want (v.) - **volere** *4*
war - **guerra** *5*
wash up (v.) - **lavarsi** *1*
waste; refuse; garbage - **rifiuti** *3*
wear (v.) - **portare** *4*
wheel - **ruota** *6*
wide - **ampio** *6*
widespread - **diffuso** *6*
wind instrument - **strumento a fiato** *8*
wish (v.) - **volere** *4*
wood - **legno** *7*
woods - **bosco** *3*
wool - **lana** *7*
workmanship - **lavorazione** (f.) *6*
world - **mondo** *3*
worldly - **mondiale** *5*
writer - **scrittore** (m.) *7*
writer - **scrittrice** (f.) *7*

-Y-

yet - **ancora** *5*
youth - **gioventù** (f.) *1*

Italiano - Inglese

-A-

a proposito - by the way *2*
abbassare - to lower *8*
abbellire *(isc)* - to decorate; embellish *6*
abbracciarsi - to hug each other *1*
abituato - accustomed to; used to *1*
accendere - to turn/put on *4*
acceso - (turned) on *4*
accorgersi - to realize *9*
addormentarsi - to fall asleep *1*
aereo (adj.) - air *5*
aereo; aeroplano - airplane *6*
aeroporto - airport *6*
affermativo - affirmative *4*
affettare - to slice *9*
affittare - to rent *2*
aggiungere - to add *9*
aggiustare - to adjust; fix *7*
aiutare (a) - to help *8*
aiutarsi - to help one another *1*
al più presto - as soon as possible *4*
albergo - hotel *6*
albero - tree *3*
allacciarsi la cintura - to fasten seat belt *6*
allegria - happiness *8*
alloggiare - to lodge *6*
alzarsi - to get up *1*
amato - loved; beloved *9*
ambientarsi - to get accustomed to; acclimatize *0*
ambiente - habitat; environment *9*
amichevole - friendly *4*
amministratore delegato - CEO *2*
ammirare - to admire *6*
ampio - wide; ample *6*
anche - also; too *5*
ancora - still; yet *5*
andare (a) - to go *8*
andare a teatro - to go to the theater *5*
andare a trovare - to visit (someone) *7*
andare ad un concerto - to go to a concert *5*
andare alla galleria - to go to the mall *5*
andare in discoteca - to go to a dance club *5*
andare su Facebook - to go on Facebook *5*
andata e ritorno - round trip *9*
apparecchiare la tavola - to set the table *2*
appartenere - to belong *5*
appassionati - fans; enthusiasts *6*

applauso - applause *9*
apprezzare - to appreciate *9*
architetto - architect *7*
armadio - closet *1*
armonioso - harmonious *9*
arpa - harp *9*
arrabbiarsi - to get angry *1*
arrabbiato - angry *4*
arrivo - arrival *6*
articolo - article *5*
artigianato - handicraft *6*
artista - artist *7*
asciugacapelli (m.s.) - hair dryer *1*
asciugamano - towel *1,6*
asciugarsi - to dry (oneself) *1*
assorbire *(isc)* - to consume *4*
astronauta (m.) - astronaut *7*
attento - attentive *4*
atterraggio - landing *6*
atterrare - to land *6*
attico - attic *1*
attivo - active *3*
attore (m.) - actor *7*
attrice (f.) - actress *7*
aumentare - to increase *9*
aumento - increase *9*
avaro - stingy; avaricious *4*
avere bisogno (di) - to need *8*
avere intenzione (di) - to intend *8*
avere paura (di) - to be afraid of *8*
avere voglia (di) - to feel like *8*
aviatore (m.) - aviator *5*
avvicinarsi - to approach; get near *6*
avvocato - lawyer *7*
azienda - company; firm *2*

-B-

baciarsi - to kiss each other *1*
bagaglio - luggage *9*
bagaglio a mano - carry-on bag *9*
bagnare - to soak *9*
bagno - bathroom *1*
ballare - to dance *8*
bambola - doll *9*
banchiere (m.) - banker *7*

banco - counter 9
banda - band 9
batteria - drums 8
benzina - gasoline 9
bidè (m.) - bidet 1
biglietto - ticket 9
borsa di studio - scholarship 9
bosco - woods; forest 3
breve - brief 5, 7
brevetto - patent 7
brodo - broth 9
buffo - funny; comical 8
bugiardo - liar 3
buttare via - to throw away 9

-C-

camera da letto - bedroom 1
camera singola - single room 6
cameriera - waitress 7
cameriere (m.) - waiter 7
campagna - countryside 3
campeggio - camping 6
campione (m.) - champion 3
campo - field; area; career 7
cancellare - to erase; cancel; delete 4
cancello - gate 6
cantante (m. & f.) - singer 7, 8
cantare al karaoke - to sing karaoke 5
cantautore (m.) - singer/songwriter 9
cantina - basement 1
capitano - captain 4
carino - cute 3
carrello - cart 9
carta d'imbarco - boarding pass 6
carta di credito - credit card 6
cartella - folder 4
cassettone (m.) - bureau 1
causare - to cause 3
cellulare - cell phone (m.) 4
cercare di - to try 8
chiarissimo - very clear
chiamarsi - to call oneself 1
chiaro - clear 3, 7
chiedere (a) - to ask for 4
chitarra - guitar 8
chiudere - to sign out; close 4
cielo - sky 3
cintura - seat belt 6
clarinetto - clarinet 8
cliccare - to click 2, 4

cliente (m. & f.) - client; 6
collimare - to coincide 6
collinare - hilly 6
collinoso - hilly 6
colpevole - guilty 1
combattere - to fight 5
comodino - nightstand 1
competere - to compete 3
competizione (f.) - competition 3
complesso musicale - musical ensemble 8
compositore (m.) - composer 8
computer (m.) - computer 4
concerto - concert 8
concetto - concept 5
condire (isc) - to season 2
condurre - to conduct; guide 5
confuso - confused 1
conoscersi - to know one another 1
consapevole - aware 4, 9
consumare - to consume 4, 9
contare - to count 3
contribuire (isc) - to contribute 2
controllare - to check 2
controllo di sicurezza - security check 6
coprire - to cover 2
corno - horn 8
corretto - correct 5
costa - coast 3
costituito - constituted 6
costruito - built 4,6
costruzione (f.) - construction 4
cottura - cooking 9
credenza - cabinet 1
crema da barba - shaving cream 1
crescere - to grow (up) 1
cronista (m. & f.) - reporter 7
cucina - kitchen; stove 1
culinario - culinary 6
cuoca - chef 7
cuocere - to cook 9
cuoco - chef 7

-D-

da me - to my house 1
da noi - to our house 9
danno - damage 9
danzare; ballare - to dance 5
dare una mano - to give a hand; help 5
darsi per vinto - to give up 9
decidere (di) - to decide 8

decollare - to take-off 6
decollo - take-off 6
dedicare - to dedicate 5
dedicarsi - to dedicate oneself 9
dentifricio - toothpaste 1
dentista (m.& f.) - dentist 7
deserto - desert 3
dialetto - dialect 1
diffuso - diffuse; widespread 6
diligente - industrious; diligent 3
dimenticare (di) - to forget 8
diminuire *(isc)* - to diminish; lessen; decrease 3
dipingere - to paint 5
diplomarsi - to graduate from high school 1
dire (di) - to say; tell 4, 8
dire una bugia - to lie 3
direttore (m.) - executive; manager 7
direttore (m.) - music conductor 8
direttrice (f.) - music conductor 8
direttrice (f.) - executive; manager 7
diritti - rights 9
disabile - disabled 9
disboscamento - deforestation 9
disciplinare - to discipline 7
disegnare - to draw; design 5, 7
distribuito - distributed 2
distrutto - destroyed 6
ditta - firm; company 7
divano - couch; sofa 1
diventato - become 5
divertente - enjoyable 4
divertirsi (a) - to enjoy (oneself) 8
divertirsi un sacco-to have a great time 1, 9
doccia - shower 1
dominare - to dominate 1
dovere - to have to; must 4
drammaturgo - playwright 5
dunque - therefore 9

-E-

eccellenza - excellence 9
effetto serra - greenhouse effect 9
elegante - elegant 7
elettrico - electrical 9
elicottero - helicopter 7
emozionato - excited 4
enorme - enormous; huge 3
entusiasmo - enthusiasm 9
erba - grass 3
eroico - heroic 5

esaurito - exhausted 6
esplorare - to explore 7
essenziale - essential 9
essere connesso/a - to be connected 4
essere in linea - to be online 4

-F-

facilitare - to facilitate; ease 4, 9
famoso - famous 8
fare bella figura - to impress 7
fare il check-in - to check-in 9
fare il nuoto - to swim 8
fare quattro chiacchiere - to chat 3, 5
fare quattro passi - to take a stroll 5
fare una foto - to take a picture 4
fare uno sport - to play a sport 5
farmacista (m. & f.) - pharmacist 7
farsi il bagno - to take a bath 1
farsi la barba - to shave 1
farsi la doccia - to take a shower 1
fascia - layer 9
fascismo - fascism 5
fascista (m. & f.) - fascist 5
federa - pillowcase 6
fermarsi - to stop oneself 1
fermata - stop 9
finemente - finely 9
finire (di) - to finish 8
fino - fine; thin 3
fiori - flowers 3
flauto - flute 8
foglia - leaf 3
fon (m.) - hair dryer 1
fondato - founded 2
forbici (f. pl.) - scissors 7
foresta - forest 3
forma - form 4
forno - oven; stove 1
forno a microonde - microwave 1
fortunato - lucky 7
friggere - to fry 5
frigorifero/frigo - refrigerator 1
fritto - fried 5
fuoco - heat; fire 9
furioso - furious 4

-G-

gabinetto - toilet 1
gara - competition; race 3

garage (m.) - garage 1
gareggiare - to compete 3
geloso - jealous 3
generoso - generous 3
genio - genius 8
giocare a carte - to play cards 5
giocare a videogiochi - to play video games 5
giocatore (m.) - player 4
giornalista (m. & f.) - journalist 5, 7
gioventù (f.) - youth 1
gioviale - cheerful 6
girare - to turn; stir 2
giudice (m.) - judge 7
giusto - correct 5
godere - to enjoy 6
gradevole - pleasant 1
grammo - gram 9
grande - large; great; famous 5
grattato - grated 9
grembo - lap 2
guadagnare - to earn 7
guerra - war 5

-I-
icona - icon 4
ideologia - ideology 5
imbarcarsi - to go on board; to embark 6
imparare (a) - to learn 8
impaziente - impatient 3
imperativo - imperative 6
impiegato - clerk 6
impregnato - saturated 1
imprenditore (m.) - businessman 2
incominciare (a) - to start; begin 8
incontrarsi - to run into each other 1
incontrarsi con amici - get together w/friends 5
incoraggiare - to encourage 8
incredibilmente - incredibly 9
incuriosirsi (isc) - to become curious 9
incursione (f.) - raid 5
infarto - heart attack 9
infine - at last; finally 1
ingegnere (m.) - engineer 7
ingredienti - ingredients 9
iniziare - to initiate; start 8
innamorarsi di - to fall in love with 1
inquinamento - pollution 9
inquinare - to pollute 9
inquinato - polluted 9
insegnare (a) - to teach 8

insieme - together 4
intenso - intense 4
interesse (m.) - interest 5
interno - inside 6
intitolato - entitled 1
invecchiarsi - to get old 2
inventare - to invent 7
inviare - to send 4
invitare (a) - to invite 8

-L-
lacca - hair spray 1
lampada - lamp 1
lana - wool 7
lasciarsi - to break up 1
laurearsi - to graduate from college 1
lavandino - sink 1
lavarsi - to wash up 1
lavastoviglie (f.) - dishwasher 1
lavorare al tombolo - to make lace 6
lavorazione (f.) - workmanship 6
leggere un romanzo - to read a novel 5
leggermente - lightly 9
leggero - light (weight) 1, 6
legno - wood 7
lentamente - slowly 4
lenzuolo (le lenzuola) - bed sheet(s) 6
letto - bed 1
levare - to remove 9
linea - line 4
linea aerea - airline company 6
litigare - to litigate 7
livello del mare - sea level 6
località sciistica - ski resort 8
luna - moon 3

-M-
macchina fotografica digitale-digital camera 4
mai - never; ever 5
malato - sick; ill 3
malattia - sickness 9
mancanza - lack 9
mandare un messaggio - to send a text 4
manipolare - to manipulate 6
mantecare - to coat 9
mantenere - to maintain; keep 4
marchio - brand 2
medico - doctor 7
medioevale - medieval 6

mentire - to lie *0*
meraviglioso - marvelous; magnificent *6*
mescolare - to mix; stir *2*
messaggiare - to text *4*
messaggio - text message *4*
meta - goal; aim *6*
metà - half *9*
metallo - metal *7*
mettersi - to put on (oneself) *1*
mezzi pubblici - public transportation *9*
miglio (le miglia) - mile(s)
migliorare - to ameliorate; improve *1*
mischiare - to mix; stir *2*
mito - myth *5*
mobili - furnishings *1*
mondiale - worldly *5*
mondo - world *9*
montagnoso - mountainous *6*
montuoso - mountainous *2, 6*
mostrare - to show *1*
mouse (m.) - mouse *4*
multa - fine *7*
musicista (m. & f.) - musician *7, 8*

-N-

nascondersi - to hide (oneself) *7*
natale (adj.) - native; birth *1*
navigare in rete - to surf the web *4*
navigatore - browser *4*
né ... né - neither ... nor/either ... or *5*
neanche - not even *5*
necessario - necessary *9*
negativo - negative *4*
nemmeno - not even *5*
neppure - not even *5*
nessuno - no one; anyone *5*
niente - nothing; anything *5*
noioso - boring *4*
non ... più - no longer; not anymore *5*
non vedere l'ora di - to look forward to *8*
noto - famous *1*
nulla - nothing; anything *5*
nuotare - to swim *5*
nuvola - cloud *3*

-O-

o - or *5*
oboe (m.) - oboe *8*
odioso - hateful *1*

opera - opera *8*
orchestra - orchestra *8*
orecchiette - type of pasta *4*
orgoglioso - proud *4*
ospite (m. & f.) - guest *6*
ottenere - to get; obtain; achieve *3*
ottenuto - obtained; achieved; received *3*
ovviamente - obviously *9*
ovvio - obvious *9*

-P-

palcoscenico - stage *8, 9*
panorama (m.) - panorama; view *6*
parentesi (f.) - parentheses *6*
partenza - departure *6*
particolare - particular *7*
passaporto - passport *6*
passeggera (f.) - passenger *6*
passeggero (m.) - passenger *6*
passeggiare - to take a walk *8*
password - password *4*
pauroso - scary *4*
pensare (a) - to think about *8*
pensare (di) - to think (of things) *8*
pensione (f.) - small hotel *8*
pepe (m.) - pepper *2*
perdere - to lose; miss *8*
perfetto - perfect *7*
personaggio - character *7*
pesante - heavy *9*
pescare - to fish *5*
pettinarsi - to comb one's hair *1*
pettine (m.) - comb *1*
piacere - to be pleasing; like *4*
pianoforte (m.) - piano *7, 8*
pianta - plant *3*
pieno - full *8*
pietra - rock *3*
pigro - lazy *3*
pilota (m. & f.) - pilot *7*
pista - runway *6*
pittore (m.) - painter *7*
pittoresco - picturesque *6*
piuttosto - rather *1*
pizzico - pinch of *9*
plastica - plastic *9*
poeta (m.) - poet *7*
poetessa (f.) - poet *7*
politicamente - politically *5*
poliziotta - police woman *7*

poliziotto - policeman 7
poltrona - armchair 1
pompiere (m.) - fireman 7
portare - to bring; carry; wear 4
potere - to be able; can 4
predominare - to predominate 5
pregiato - precious; esteemed 5
prelibato - exquisite; excellent 3
premio - prize 1
prenotare - to reserve; make reservations 6
prepararsi - to get ready; prepare oneself 1
presepe (m.) - nativity scene 6
preside (m. & f.) - principal 7
prestare - to lend 4
privilegiato - privileged; preferred 6
profondo - deep; profound 5
profumo - perfume 1
proteggere - to protect 9
provare (a) - to try 8
pubblicare - to publish 1
pubblicato - published 1
puntuale - punctual 2

-Q-

quadro - picture; painting 1
qualcosa - something 5
qualcuno - someone 5

-R-

rame (m.) - copper 7
rapido - rapid; fast 7
rappresentare - to represent; perform 7
rasoio elettrico - electric shaver 1
realtà - reality 5
recente - recent 7
recitare - to perform; act 7
regalare - to give as a gift 4, 6
regalo - gift 4,6
regola - rule 4
regolare - regular 7
rendersi conto (di) - to realize 9
rete (f.) - internet 4
riavviare - to restart 4
ricamare - to embroider 6
ricetta - recipe 9
ricevimento - lobby 9
riciclare - to recycle 9
ricordo - memory 1
ricostruito - rebuilt; reconstructed 6

rifiuti - refuse; garbage; waste 9
riflettere - to reflect 8
rilassato - relaxed 6
rimescolare - to mix again 9
rimettere - to put back 9
ringraziare - to thank 4
ripassare - to review 7
riposarsi - to relax 1
risparmiare - to save 3
ritorno - return 6
riuscire a - to succeed 8
rivale (m.) - rival 3
rivolgersi - turn to; go to 8
romanziere (m.) - novelist 5
romanzo - novel 1
rotto - broken 4
rullare - to taxi 6
ruota - wheel 9

-S-

sabbia - sand 3
sacco di - a lot of 7
sagra - festival 6
sala da pranzo - dining room 1
sale (m.) - salt 2
salotto - living room 1
salutarsi - to greet one another 1
salvare - to save 4
sapone (m.) - soap 1
sassofono - saxophone 8
sbucciare - to peel 9
scala - staircase 6
scaricare - to download 4
scattare la foto - to take a picture 4
scegliere - to choose; select; opt 1
schermo - screen 4
sciogliere - to melt 9
scolpire (isc) - to sculpt; sculpture 8
scrittore (m.) - writer 7
scrittrice (f.) - writer 7
scrivere a macchina - to type 4
scultore (m.) - sculptor 7
sé stesso - himself; itself 1
segretaria - secretary 7
semplicità - simplicity 8
sempre - always 5
sentirsi - to feel (well/sick) 1
serio - serious 4
servire - to serve 9
sfilata - fashion show 0

sfortunato - unlucky 7
shampoo - shampoo 1
sicurezza - security 6
silenzioso - silent 7
sinfonia - symphony 8
sipario - stage curtain 8
smalto - nail polish 1
smettere di - to stop 8, 9
sociale - social 5
sofà (m.) - couch; sofa 1
soggiorno - stay 1, 9
sognare (di) - to dream 8
soprannome (m.) - nickname 3
sorriso - smile 7
sparecchiare - to clear the table 2
spazzola - brush 1
spazzolarsi - to brush one's hair 1
spazzolino da denti - toothbrush 1
specchio - mirror 1
specializzarsi - to major in; specialize in 1
spegnere - to turn off; extinguish 4, 7
spento - off 4
sperare (di) - to hope 8
spettacolare - spectacular; exceptional 6
spettatore (m.) - spectator 9
spiegare - to explain 4
spiritoso - funny 3
spirituale - spiritual 5
spogliarsi - to get undressed 1
sporco - dirty 1
sposarsi - to get married; wed 1
squadra - team 4
squillare - to ring 4
squillo - sound; ring 4
stampante (f.) - printer 4
stampare - to print 4
stella - star 3
stretto - tight; narrow 6
strumento - instrument 8
strumento a fiato - wind instrument 8
strumento a percussione - percussion instrument 8
suggerire (di) (isc) - to suggest 8
suggerito - suggested 6
suonare - to play (music) 5
sveglia - alarm clock 1
svegliarsi - to wake up 1

-T-

tagliare - to cut 2
talento - talent 9
tamburo - drum 8

tappeto - rug; carpet 1
tassì (m.) - taxi 9
tastiera - keyboard 4
tavolino - night table; small table 1
teatro - theater 8
tegame (m.) - pan 9
telecomando - remote control 1
telefonare a - to telephone 4
televisivo (adj.) - television 1
terra - earth 3
terremoto - earthquake 6
tessuto - cloth 7
testo - text 5
tostare - to toast 9
tovaglia - tablecloth 6
tradurre - to translate 4
trascinare - to drag 9
trascorrere - to pass/spend time 2
trasferirsi (isc) - to move; transfer 1
trasformare - to transform; change 5
tromba - trumpet 8
trombone (m.) - trombone 8
tuba - tuba 8

-U-

un sacco (di) - a lot; a great deal 2
unico - only; one; unique 4
universitario (adj.) - university 5
usare Skype - to Skype 5
uscire con gli amici - to go out with friends 5
uscita - exit 6
utilizzare - to utilize; use 4, 9

-V-

valigia - suitcase 6
vedersi - to see each other 1
velocemente - quickly; fast 4
vendita - sale 4, 9
venire (a) - to come 8
venire al sodo - to get to the point 2
verità - truth 4
vestirsi - to get dressed 1
vetro - glass 9
vetta - summit; peak; top; apex 6
violino - violin 8
vittoria - victory 3
voce (f.) - voice 9
volare - to fly 6
volere - to want; wish 4
volo - flight 6
vuoto - empty 8

Indice/Index

Aggettivi/Adjectives (1–8)

amichevole - friendly
arrabbiato - angry
attento - attentive
attivo - active
avaro - avaricious; stingy; greedy
bugiardo - liar
carino - cute
colpevole - guilty
diligente - industrious; diligent
divertente - enjoyable
emozionato - excited
famoso - famous
furioso - furious
geloso - jealous
generoso - generous

gioviale - cheerful
impaziente - impatient
insopportabile - unbearable; intolerable
intollerabile - intolerable; unbearable
malato - sick; ill
noioso - boring
odioso - hateful
orgoglioso - proud
pauroso - scary
paziente - patient
pieno - full
pigro - lazy
serio - serious
spiritoso - funny
vuoto - empty

Casa/House (1)

attico/attic

bagno/bathroom

l'asciugacapelli - hairdryer
gli asciugamani - towels
il bidè - bidet
la crema da barba - shaving cream
il dentifricio - toothpaste
la doccia - shower
il fon - hairdryer
il gabinetto - toilet
il lavandino - sink
il rasoio - razor
il rasoio elettrico - electric razor
il sapone - soap
lo shampoo - shampoo
lo spazzolino da denti - toothbrush
lo specchio - mirror
la vasca da bagno - bath tub

camera da letto/bedroom

l'armadio - closet
il cassettone - bureau
il comodino - nightstand
la lacca - hairspray
la lampada - lamp
il letto - bed
il pettine - comb
il profumo - perfume/cologne
lo smalto - finger nail polish

la spazzola - brush
la sveglia - alarm clock
il trucco - make-up

cantina/cellar

cucina/kitchen

la credenza - cabinet
la cucina - stove
il forno - oven
il forno a microonde - microwave oven
il frigorifero/il frigo - refrigerator
la lavastoviglie - dishwasher
il tostapane - toaster

garage/garage

sala da pranzo/dining room

la sedia - chair
la tavola - table

salotto; soggiorno/living room

il divano - couch
la poltrona - armchair
il quadro - picture
il sofà - couch; sofa
il tappeto - rug
il tavolino - end table
il telecomando - television remote
il telefono - telephone
la televisione - television

scale/stairs

Musica/Music (8)

l'arpa - harp
la batteria - drums
il/la cantante - singer
la chitarra - guitar
il clarinetto - clarinet
il complesso musicale - musical ensemble
il compositore - composer
il concerto - concert
il direttore - music conductor
la direttrice - music conductor
il flauto - flute
il/la musicista - musician
l'oboe - oboe
l'opera - opera
l'orchestra - orchestra

il palcoscenico - stage
il pianoforte - piano
il sassofono - saxophone
la sinfonia - symphony
il sipario - stage curtain
lo strumento - instrument
lo strumento a fiato - wind instrument
lo strumento a percussione - percussion instrument
il tamburo - drum
il teatro - theater
la tromba - trumpet
il trombone - trombone
la tuba - tuba
il violino - violin

Natura/Nature (3)

l'albero - tree
il bosco - woods; forest
la campagna - countryside (field)
il cielo - sky
la costa - coast
il deserto - desert
l'erba - grass
i fiori - flowers
le foglie - leaves

la foresta - forest
la luna - moon
il mondo - world
la nuvola - cloud
la pianta - plant
la pietra - rock
la sabbia - sand
le stelle - stars
la terra - earth

Parole affermative/Affirmative words (5)

anche - also; too
ancora - still; yet
o - or
qualcosa - something
qualcuno - someone
sempre - always

Parole negative/Negative words (5)

mai - never; ever
né . . . né - neither . . . nor/either . . . or
neanche/nemmeno/neppure - not even
nessuno - no one; anyone
niente/nulla - nothing; anything
non . . . più - no longer

Passatempi/Pastimes (5)

andare a teatro - to go to the theater
andare ad un concerto - to go to a concert
andare alla galleria - to go to the mall
andare in discoteca - to go to the dance club
andare su Facebook - to go on Facebook
ballare - to dance
cantare al karaoke - to sing karaoke
danzare - to dance
dipingere - to paint
disegnare - to draw; design
fare quattro chiacchiere - to chat
fare quattro passi - to take a stroll

fare uno sport - to play a sport
giocare a carte - to play cards
giocare a videogiochi - to play video games
incontrarsi con amici - to get together with friends
leggere un romanzo - to read a novel
nuotare - to swim
pescare - to fish
suonare la batteria/la chitarra - to play the drums/
  the guitar
usare Skype - to skype
uscire con gli amici - to go out with friends

Parole utili (intercalari)/Useful words (transitional elements)

a proposito - by the way
allo stesso tempo - at the same time
anche se - even if
a volte - sometimes
e così via - and so forth
finalmente - finally
fino a - until
intanto - meanwhile; in the meantime
oltre a - besides

per il momento - for now; for the moment
per quanto riguarda - as per; regarding
per questa ragione - for this reason
perciò - that is why; for that reason
qualche volta - sometimes
senz'altro - of course
spesso - often
una volta - once; one time

Professioni/Professions (7)

l'architetto - architect
l'artista - artist
l'astronauta - astronaut
l'attore - actor
l'attrice - actress
l'avvocatessa - lawyer
l'avvocato - lawyer
il banchiere - banker
la cameriera - waitress
il cameriere - waiter
il/la cantante - singer
il/la cronista - reporter
la cuoca - chef
il cuoco - chef
il/la dentista - dentist
il direttore - executive; manager
la direttrice - executive; manager
il/la farmacista - pharmacist
il/la giornalista - journalist

il giudice - judge
l'ingegnere - engineer
il medico - doctor
il/la musicista - musician
il/la pilota - pilot
il pittore - painter
la pittrice - painter
il poeta - poet
la poetessa - poet
la poliziotta - police woman
il poliziotto - policeman
il pompiere - fireman
il/la preside - principal
lo scienziato - scientist
lo scrittore - writer
la scrittrice - writer
lo scultore - sculptor
la segretaria - secretary

Tavola/Table (2)

il **bicchiere** - glass
il **coltello** - knife
il **cucchiaino** - teaspoon
il **cucchiaio** - tablespoon
la **forchetta** - fork
il **pepe** - pepper
il **piattino** - saucer
il **piatto** - plate
la **posata** - table setting
il **sale** - salt
la **tazza** - cup (coffee)

la **tazzina** - small cup (coffee)
la **tovaglia** - tablecloth
il **tovagliolo** - napkin
apparecchiare - to set the table
condire - to season
coprire - to cover
girare - to stir
mischiare - to mix; stir
servire - to serve
sparecchiare - to clear the table
tagliare - to cut

Tecnologia/Technology (4)

la **cartella** - folder
il **cellulare** - cell phone
il **computer** - computer
l'**icona** - icon
la **linea** - line
la **macchina fotografica digitale** - digital camera
il **messaggio** - text
il **mouse** - mouse
il **navigatore** - browser
la **password** - password
la **rete** - Internet
lo **schermo** - screen
lo **squillo** - ring
la **stampante** - printer
la **tastiera** - keyboard
accendere - to turn/put on
cancellare - to delete; cancel

chiudere - to sign out; close
cliccare - to click
essere connesso - to be connected
essere in linea - to be online
fare una foto - to take a picture
mandare un messaggio - to send a text
messaggiare - to text
navigare in rete - to surf the web
riavviare - to restart
salvare - to save
scaricare - to download
scattare una foto - to take a picture
scrivere a macchina - to type
spegnere - to turn off
squillare - to ring
stampare - to print

Verbi riflessivi/Reflexive verbs (1)

addormentarsi - to fall asleep
alzarsi - to get up
arrabbiarsi - to get angry
chiamarsi - to call oneself
diplomarsi - to graduate from high school
divertirsi - to enjoy oneself
farsi il bagno - to take a bath
farsi la barba - to shave
farsi la doccia - to take a shower
fermarsi - to stop oneself
innamorarsi di - to fall in love with
laurearsi - to graduate from college
lavarsi - to wash up

mettersi - to put on (oneself)
pettinarsi - to comb one's hair
prepararsi - to get ready
riposarsi - to relax; rest
sentirsi - to feel (health)
spazzolarsi - to brush one's hair
specializzarsi - to major in; specialize in
spogliarsi - to get undressed
sposarsi - to get married
svegliarsi - to wake up
truccarsi - to put on make up
vestirsi - to get dressed

Verbi reciproci/Reciprocal verbs (1)

abbracciarsi - to hug one another
aiutarsi - to help one another
baciarsi - to kiss one another
conoscersi - to know one another

incontrarsi - to run into each other
lasciarsi - to break up
salutarsi - to greet one another
vedersi - to see each other

Verbi seguiti dalla preposizione «a»/Verbs followed by the preposition "to" (8)

andare a - to go
aiutare a - to help
(in)cominciare a - to start
divertirsi a - to enjoy (oneself)
imparare a - to learn
insegnare a - to teach

invitare a - to invite
pensare a - to think about
provare a - to try
riuscire a - to succeed
telefonare a - to telephone
venire a - to come

Verbi seguiti dalla preposizione «di»/Verbs followed by the preposition "of" (8)

avere bisogno di - to need
avere intenzione di - to intend
avere paura di - to be afraid of
avere voglia di - to feel like
cercare di - to try
decidere di - to decide
dimenticare di - to forget
dire di - to say; tell

finire di - to finish
pensare di - to think about
smettere di - to stop
sognare di - to dream
sperare di - to hope
suggerire di - to suggest
non vedere l'ora di - to look forward to

Viaggiare/Travel (6)

l'aereo - airplane
l'aeroporto - airport
l'albergo - hotel
andata e ritorno - round trip
l'arrivo - arrival
l'atterraggio - landing
il bagaglio - luggage
il bagaglio a mano - carry-on bag
il banco - counter
il biglietto - ticket
il cancello - gate
la carta d'imbarco - boarding pass
la cintura - seat belt
il/la cliente - client; guest
il decollo - take-off
l'impiegato - clerk
la linea aerea - airline company
l'ospite - guest
la partenza - departure

il passaporto - passport
la passeggera - passenger
il passeggero - passenger
la pista - runway
il ricevimento - lobby
il ritorno - return
la sicurezza - security
l'uscita - exit
la valigia - suitcase
il volo - flight
allacciarsi la cintura - to fasten the seatbelt
alloggiare - to lodge
atterrare - to land
decollare - to take-off
fare il check-in - to check-in
imbarcarsi - to go on board; to embark
prenotare - to make reservations
rullare - to taxi
volare - to fly

Verbi/Verbs (1–8)

abbassare - to lower
abbellire *(isc)* - to decorate
abbracciarsi - to hug one another
accendere - to turn/put on
accorgersi - to realize
addormentarsi - to fall asleep
affettare - to slice
affittare - to rent
aggiungere - to add
aggiustare - to adjust; fix
aiutare a - to help
aiutarsi - to help one another
allacciarsi la cintura - to fasten the seatbelt
alloggiare - to lodge
alzarsi - to get up
ambientarsi - to get accustomed to; acclimatize
ammirare - to admire
andare a - to go
andare a teatro - to go to the theater
andare a trovare - to visit (someone)
andare a un concerto - to go to a concert
andare alla galleria - to go to the mall
andare in discoteca - to go to the dance club
andare su Facebook - to go on Facebook
apparecchiare la tavola - to set the table
appartenere - to belong
apprezzare - to appreciate
arrabbiarsi - to get angry
asciugarsi - to dry (oneself)
assorbire - to consume; absorb
atterrare - to land
aumentare - to increase; augment
avere bisogno di - to need
avere intenzione di - to intend
avere paura di - to be afraid of
avere voglia di - to feel like
avvicinarsi (a) - to approach; get near
baciarsi - to kiss one another
bagnare - to soak
ballare - to dance
buttare via - to throw away
cancellare - to delete; cancel
cantare al karaoke - to sing karaoke
causare - to cause
cercare di - to try
chiamarsi - to call oneself
chiedere - to ask for
chiudere - to sign out; close
cliccare - to click
collimare - to coincide
combattere - to fight; combat
competere - to compete
condire *(isc)* - to season

condurre - to conduct
conoscersi - to know one another
consumare - to consume
contare - to count
contribuire *(isc)* - to contribute
controllare - to check
coprire - to cover
crescere - to grow
cuocere - to cook
danzare - to dance
dare una mano - to give a hand; help
darsi per vinto - to give up
decidere di - to decide
decollare - to take-off
dedicare - to dedicate
dedicarsi - to dedicate oneself
dimenticare (di) - to forget
diminuire *(isc)* - to diminish; lessen; decrease
dipingere - to paint
diplomarsi - to graduate from high school
dire (di) - to say; tell
dire una bugia - to lie
disciplinare - to discipline
disegnare - to draw; design
divertirsi (a) - to enjoy oneself
divertirsi un sacco - to have a great time
dominare - to dominate
dovere - to have to; must
esplorare - to explore
essere connesso/a - to be connected
essere in linea - to be online
facilitare - to facilitate
fare bella figura - to impress
fare il check-in - to check-in
fare il nuoto - to swim
fare quattro chiacchiere - to chat
fare quattro passi - to take a stroll
fare una foto - to take a picture
fare uno sport - to play a sport
farsi il bagno - to take a bath
farsi la barba - to shave
farsi la doccia - to take a shower
fermarsi - to stop oneself
finire (di) *(isc)* - to finish
friggere - to fry
gareggiare - to compete
giocare a carte - to play cards
giocare a videogiochi - to play video games
girare - to stir; turn
godere - to enjoy
guadagnare - to earn
imbarcarsi - to go on board; to embark
imparare (a) - to learn
(in)cominciare (a) - to start; begin

incontrarsi - to run into each other
incontrarsi con amici - to get together with friends
incoraggiare - to encourage
incuriosirsi *(isc)* - to become curious
innamorarsi di - to fall in love with
inquinare - to pollute
insegnare (a) - to teach
invecchiarsi - to get old
inventare - to invent
inviare - to send
invitare (a) - to invite
lasciarsi - to break up
laurearsi - to graduate from college
lavarsi - to wash up
lavorare al tombolo - to make lace
leggere un romanzo - to read a novel
levare - to remove
litigare - to litigate; quarrel
mandare un messaggio - to send a text
manipolare - to manipulate
mantecare - to coat
mantenere - to maintain; keep
mentire - to lie
mescolare - to mix; stir
messaggiare - to text
mettersi - to put on (oneself)
migliorare - to ameliorate; improve
mischiare - to mix; stir
mostrare - to show
nascondersi - to hide oneself
navigare in rete - to surf the web
non vedere l'ora di - to look forward to
nuotare - to swim
ottenere - to get; obtain
passeggiare - to take a walk; stroll
pensare (a) - to think (of person)
pensare (di) - to think (of things)
perdere - to miss; lose
pescare - to fish
pettinarsi - to comb one's hair
piacere - to be pleasing; like
portare - to bring; carry; wear
potere - to be able; can
predominare - to predominate
prenotare - to reserve; make reservations
prepararsi - to get ready; prepare oneself
prestare - to lend
proteggere - to protect
provare (a) - to try
pubblicare - to publish
rappresentare - to represent; perform
recitare - to perform; act
regalare - to give a gift
rendersi conto (di) - to realize
riavviare - to restart
ricamare - to embroider

riciclare - to recycle
riflettere - to reflect
rimescolare - to mix again
rimettere - to put back
ringraziare - to thank
ripassare - to review
riposarsi - to relax; rest
risparmiare - to save
riuscire a - to succeed
rivolgersi - to turn to; go to
rullare - to taxi
salutarsi - to greet one another
salvare - to save
sbucciare - to peel
scaricare - to download
scattare una foto - to take a picture
scegliere - to choose; select; opt
sciogliere - to melt
scolpire *(isc)* - to sculpt
scrivere a macchina - to type
sentirsi - to feel (health)
servire - to serve
smettere (di) - to stop
sognare (di) - to dream
sparecchiare la tavola - to clear the table
spazzolarsi - to brush one's hair
specializzarsi - to major in; specialize in
spegnere - to turn off; extinguish
sperare di - to hope
spiegare - to explain
spogliarsi - to get undressed
sposarsi - to get married; wed
squillare - to ring
stampare - to print
suggerire di *(isc)* - to suggest
suonare la batteria/la chitarra - to play the drums/
    the guitar
svegliarsi - to wake up
tagliare - to cut
telefonare (a) - to telephone
tostare - to toast
tradurre - to translate
trascinare - to drag
trascorrere - to pass/spend time
trasferirsi *(isc)* - to move; transfer
trasformare - to transform; change
truccarsi - to put on make up
usare Skype - to Skype
uscire con gli amici - to go out with friends
utilizzare - to utilize; use
vedersi - to see each other
venire (a) - to come
venire al sodo - to get to the point
vestirsi - to get dressed
volare - to fly
volere - to want; wish

Coniugazione dei verbi/Verb conjugation

mostrare - *to show*

Presente	Passato prossimo	Imperfetto	Futuro	Condizionale	Presente progressivo	Passato progressivo
mostro	ho mostrato	mostravo	mostrerò	mostrerei	sto mostrando	stavo mostrando
mostri	hai mostrato	mostravi	mostrerai	mostreresti	stai mostrando	stavi mostrando
mostra	ha mostrato	mostrava	mostrerà	mostrerebbe	sta mostrando	stava mostrando
mostriamo	abbiamo mostrato	mostravamo	mostreremo	mostreremmo	stiamo mostrando	stavamo mostrando
mostrate	avete mostrato	mostravate	mostrerete	mostrereste	state mostrando	stavate mostrando
mostrano	hanno mostrato	mostravano	mostreranno	mostrerebbero	stanno mostrando	stavano mostrando

vendere - *to sell*

Presente	Passato prossimo	Imperfetto	Futuro	Condizionale	Presente progressivo	Passato progressivo
vendo	ho venduto	vendevo	venderò	venderei	sto vendendo	stavo vendendo
vendi	hai venduto	vendevi	venderai	venderesti	stai vendendo	stavi vendendo
vende	ha venduto	vendeva	venderà	venderebbe	sta vendendo	stava vendendo
vendiamo	abbiamo venduto	vendevamo	venderemo	venderemmo	stiamo vendendo	stavamo vendendo
vendete	avete venduto	vendevate	venderete	vendereste	state vendendo	stavate vendendo
vendono	hanno venduto	vendevano	venderanno	venderebbero	stanno vendendo	stavano vendendo

dormire - *to sleep*

Presente	Passato prossimo	Imperfetto	Futuro	Condizionale	Presente progressivo	Passato progressivo
dormo	ho dormito	dormivo	dormirò	dormirei	sto dormendo	stavo dormendo
dormi	hai dormito	dormivi	dormirai	dormiresti	stai dormendo	stavi dormendo
dorme	ha dormito	dormiva	dormirà	dormirebbe	sta dormendo	stava dormendo
dormiamo	abbiamo dormito	dormivamo	dormiremo	dormiremmo	stiamo dormendo	stavamo dormendo
dormite	avete dormito	dormivate	dormirete	dormireste	state dormendo	stavate dormendo
dormono	hanno dormito	dormivano	dormiranno	dormirebbero	stanno dormendo	stavano dormendo

finire - *to finish*

Presente	Passato prossimo	Imperfetto	Futuro	Condizionale	Presente progressivo	Passato progressivo
finisco	ho finito	finivo	finirò	finirei	sto finendo	stavo finendo
finisci	hai finito	finivi	finirai	finiresti	stai finendo	stavi finendo
finisce	ha finito	finiva	finirà	finirebbe	sta finendo	stava finendo
finiamo	abbiamo finito	finivamo	finiremo	finiremmo	stiamo finendo	stavamo finendo
finite	avete finito	finivate	finirete	finireste	state finendo	stavate finendo
finiscono	hanno finito	finivano	finiranno	finirebbero	stanno finendo	stavano finendo

vestirsi - *to get dressed*

Presente	Passato prossimo	Imperfetto	Futuro	Condizionale	Presente progressivo	Passato progressivo
mi vesto	mi sono vestito/a	mi vestivo	mi vestirò	mi vestirei	mi sto vestendo	mi stavo vestendo
ti vesti	ti sei vestito/a	ti vestivi	ti vestirai	ti vestiresti	ti stai vestendo	ti stavi vestendo
si veste	si è vestito/a	si vestiva	si vestirà	si vestirebbe	si sta vestendo	si stava vestendo
ci vestiamo	ci siamo vestiti/e	ci vestivamo	ci vestiremo	ci vestiremmo	ci stiamo vestendo	ci stavamo vestendo
vi vestite	vi siete vestiti/e	vi vestivate	vi vestirete	vi vestireste	vi state vestendo	vi stavate vestendo
si vestono	si sono vestiti/e	si vestivano	si vestiranno	si vestirebbero	si stanno vestendo	si stavano vestendo

avere - *to have*

Presente	Passato prossimo	Imperfetto	Futuro	Condizionale
ho	ho avuto	avevo	avrò	avrei
hai	hai avuto	avevi	avrai	avresti
ha	ha avuto	aveva	avrà	avrebbe
abbiamo	abbiamo avuto	avevamo	avremo	avremmo
avete	avete avuto	avevate	avrete	avreste
hanno	hanno avuto	avevano	avranno	avrebbero

essere - *to be*

Presente	Passato prossimo	Imperfetto	Futuro	Condizionale
sono	sono stato/a	ero	sarò	sarei
sei	sei stato/a	eri	sarai	saresti
è	è stato/a	era	sarà	sarebbe
siamo	siamo stati/e	eravamo	saremo	saremmo
siete	siete stati/e	eravate	sarete	sareste
sono	sono stati/e	erano	saranno	sarebbero

Indice/Index